사고력 수학 소마가 개발한 연산학습의 새 기준!!
소마의 **마술같은 원리셈**

소마셈

A2
1학년

KB094380

수학이 즐거워지는 특별한 수학교실
소마에서 개발한 연산교재 소마셈

소마셈

2002년 대치소마 개원 이후로 끊임없는 교재 연구와 교구의 개발은 소마의 자랑이자 자부심입니다. 교구, 게임, 토론 등의 다양한 활동식 수업으로 스스로 문제해결능력을 키우고, 아이들이 수학에 대한 흥미와 자신감을 가질 수 있도록 차별성 있는 수업을 해 온 소마에서 연산 학습의 새로운 패러다임을 제시합니다.

연산 교육의 현실

연산 교육의 가장 큰 폐해는 '초등 고학년 때 연산이 빠르지 않으면 고생한다.'는 기존 연산 학습지의 왜곡된 마케팅으로 인해 단순 반복을 통한 기계적 연산을 강조하는 것입니다. 하지만, 기계적 반복을 위주로 하는 연산은 개념과 원리가 빠진 연산 학습으로써 아이들이 수학을 싫어하게 만들 뿐 아니라 사고의 확장을 막는 학습방법입니다.

초등수학 교과과정과 연산

초등교육과정에서는 문자와 기호를 사용하지 않고 말로 풀어서 연산의 개념과 원리를 설명하다가 중등 교육과정부터 문자와 기호를 사용합니다. 교과서를 살펴보면 모든 연산의 도입에 원리가 잘 설명되어 있습니다. 요즘 현실에서는 연산의 원리를 묻는 서술형 문제도 많이 출제되고 있는데 연산은 연습이 우선이라는 인식이 아직도 지배적입니다.

연산 학습은 어떻게?

연산 교육은 별도로 떼어내어 추상적인 숫자나 기호만 가지고 다뤄서는 절대로 안됩니다. 구체물을 가지고 생각하고 이해한 후, 연산 연습을 하는 것이 필요합니다. 또한, 속도보다 정확성을 위주로 학습하여 실수를 극복할 수 있는 좋은 습관을 갖추는 데에 초점을 맞춰야 합니다.

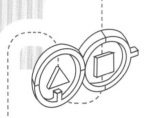 소마셈 연산학습 방법

➕ 10이 넘는 한 자리 덧셈 구체물을 통한 개념의 이해

덧셈과 뺄셈의 기본은 수를 세는 데에 있습니다. 8+4는 8에서 1씩 4번을 더 센 것이라는 개념이 중요합니다. 10의 보수를 이용한 받아 올림을 생각하면 8+4는 (8+2)+2지만 연산 공부를 시작할 때에는 덧셈의 기본 개념에 충실한 것이 좋습니다. 이 책은 구체물을 통해 개념을 이해할 수 있도록 구체적인 예를 든 연산 문제로 구성하였습니다.

➕ 가로셈 가로셈을 통한 수에 대한 사고력 기르기

세로셈이 잘못된 방법은 아니지만 연산의 원리는 잊고 받아 올림한 숫자는 어디에 적어야 하는지만을 기억하여 마치 공식처럼 풀게 합니다. 기계적으로 반복하는 연습은 생각없이 연산을 하게 만듭니다. 가로셈을 통해 원리를 생각하고 수를 쪼개고 붙이는 등의 과정에서 키워질 수 있는 수에 대한 사고력도 매우 중요합니다.

➕ 곱셈구구 곱셈도 개념 이해를 바탕으로

곱셈구구는 암기에만 초점을 맞추면 부작용이 큽니다. 곱셈은 덧셈을 압축한 것이라는 원리를 이해하며 구구단을 외움으로써 연산을 빨리 할 수 있다는 것을 알게 해야 합니다. 곱셈구구를 외우는 것도 중요하지만 곱셈의 의미를 정확하게 아는 것이 더 중요합니다. 4×3을 할 줄 아는 학생이 두 자리 곱하기 한 자리는 안 배워서 45×3을 못 한다고 말하는 일은 없도록 해야 합니다.

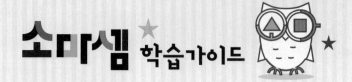

소마샘 학습가이드

K단계 (5, 6, 7세) · 연산을 시작하는 단계

뛰어세기, 거꾸로 뛰어세기를 통해 수의 연속한 성질(linearity)을 이해하고 덧셈, 뺄셈을 공부합니다. 각 권의 호흡은 짧지만 일관성 있는 접근으로 자연스럽게 나선형식 반복학습의 효과가 있도록 하였습니다.

학습대상 : 연산을 시작하는 아이와 한 자리 수 덧셈을 구체물(손가락 등)을 이용하여 해결하는 아이
학습목표 : 수와 연산의 튼튼한 기초 만들기

P단계 (7세, 1학년) · 받아올림이 있는 덧셈, 뺄셈을 배울 준비를 하는 단계

5, 6, 9 뛰어세기를 공부하면서 10을 이용한 더하기, 빼기의 편리함을 알도록 한 후, 가르기와 모으기의 집중학습으로 보수 익히기, 10의 보수를 이용한 덧셈, 뺄셈의 원리를 공부합니다.

학습대상 : 받아올림이 없는 한 자리 수의 덧셈을 할 줄 아는 학생
학습목표 : 받아올림이 있는 연산의 토대 만들기

A단계 (1학년) · 초등학교 1학년 교과과정 연산

받아올림이 있는 한 자리 수의 덧셈, 뺄셈은 연산 전체에 매우 중요한 단계입니다. 원리를 정확하게 알고 A1에서 A4까지 총 4권에서 한 자리 수의 연산을 다양한 과정으로 연습하도록 하였습니다.

학습대상 : 초등학교 1학년 수학교과과정을 공부하는 학생
학습목표 : 10의 보수를 이용한 받아올림이 있는 덧셈, 뺄셈

B단계 (2학년) · 초등학교 2학년 교과과정 연산

두 자리, 세 자리 수의 연산을 다룬 후 곱셈, 나눗셈을 다루는 과정에서 곱셈구구의 암기를 확인하기보다는 곱셈구구를 외우는데 도움이 되고, 곱셈, 나눗셈의 원리를 확장하여 사고할 수 있도록 하는데 초점을 맞추었습니다.

학습대상 : 초등학교 2학년 수학교과과정을 공부하는 학생
학습목표 : 덧셈, 뺄셈의 완성 / 곱셈, 나눗셈의 원리를 정확하게 알고 개념 확장

C단계 (3학년) · 초등학교 3, 4학년 교과과정 연산

B단계까지의 소마샘이 다양한 문제를 통해서 학생들이 즐겁게 연산을 공부하고 원리를 정확하게 알게 하는데 초점을 맞추었다면, C단계는 3학년 과정의 큰 수의 연산과 4학년 과정의 혼합 계산, 괄호를 사용한 식 등, 필수 연산의 연습을 충실히 할 수 있도록 하였습니다.

학습대상 : 초등학교 3, 4학년 수학교과과정을 공부하는 학생
학습목표 : 큰 수의 곱셈과 나눗셈, 혼합 계산

D단계 (4학년) · 초등학교 4, 5학년 교과과정 연산

분모가 같은 분수의 덧셈과 뺄셈, 소수의 덧셈과 뺄셈을 공부하여 초등 4학년 과정 연산을 마무리하고 초등 5학년 연산과정에서 가장 중요한 약수와 배수, 분모가 다른 분수의 덧셈과 뺄셈을 충분히 익힐 수 있도록 하였습니다.

학습대상 : 초등학교 4, 5학년 수학교과과정을 공부하는 학생
학습목표 : 분모가 같은 분수의 덧셈과 뺄셈, 소수의 덧셈과 뺄셈, 분모가 다른 분수의 덧셈과 뺄셈

소마셈 단계별 학습내용

K단계 추천연령 : 5, 6, 7세

단계	K1	K2	K3	K4
권별 주제	10까지의 더하기와 빼기 1	20까지의 더하기와 빼기 1	10까지의 더하기와 빼기 2	20까지의 더하기와 빼기 2
단계	K5	K6	K7	K8
권별 주제	10까지의 더하기와 빼기 3	20까지의 더하기와 빼기 3	20까지의 더하기와 빼기 4	7까지의 가르기와 모으기

P단계 추천연령 : 7세, 1학년

단계	P1	P2	P3	P4
권별 주제	30까지의 더하기와 빼기 5	30까지의 더하기와 빼기 6	30까지의 더하기와 빼기 10	30까지의 더하기와 빼기 9
단계	P5	P6	P7	P8
권별 주제	9까지의 가르기와 모으기	10 가르기와 모으기	10을 이용한 더하기	10을 이용한 빼기

A단계 추천연령 : 1학년

단계	A1	A2	A3	A4
권별 주제	덧셈구구	뺄셈구구	세 수의 덧셈과 뺄셈	□가 있는 덧셈과 뺄셈
단계	A5	A6	A7	A8
권별 주제	(두 자리 수)+(한 자리 수)	(두 자리 수)−(한 자리 수)	두 자리 수의 덧셈과 뺄셈	□가 있는 두 자리 수의 덧셈과 뺄셈

B단계 추천연령 : 2학년

단계	B1	B2	B3	B4
권별 주제	(두 자리 수)+(두 자리 수)	(두 자리 수)−(두 자리 수)	세 자리 수의 덧셈과 뺄셈	덧셈과 뺄셈의 활용
단계	B5	B6	B7	B8
권별 주제	곱셈	곱셈구구	나눗셈	곱셈과 나눗셈의 활용

C단계 추천연령 : 3학년

단계	C1	C2	C3	C4
권별 주제	두 자리 수의 곱셈	두 자리 수의 곱셈과 활용	두 자리 수의 나눗셈	세 자리 수의 나눗셈과 활용
단계	C5	C6	C7	C8
권별 주제	큰 수의 곱셈	큰 수의 나눗셈	혼합 계산	혼합 계산의 활용

D단계 추천연령 : 4학년

단계	D1	D2	D3	D4
권별 주제	분모가 같은 분수의 덧셈과 뺄셈(1)	분모가 같은 분수의 덧셈과 뺄셈(2)	소수의 덧셈과 뺄셈	약수와 배수
단계	D5	D6		
권별 주제	분모가 다른 분수의 덧셈과 뺄셈(1)	분모가 다른 분수의 덧셈과 뺄셈(2)		

구성과 특징

1

수 이야기

생활 속의 수 이야기를 통해 수와 연산의 이해를 돕습니다. 수의 역사나 재미있는 연산 문제를 접하면서 수학이 재미있는 공부가 되도록 합니다.

2

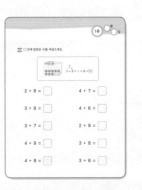

원리 & 연습

구체물 또는 그림을 통해 연산의 원리를 쉽게 이해하고, 원리의 이해를 바탕으로 연산이 익숙해지도록 연습합니다.

소마의 마술같은 원리셈

사고력 연산

반복적인 연산에서 나아가 배운 원리를 활용하여 확장된 문제를 해결합니다. 어려운 문제를 싣기보다 다양한 생각을 할 수 있는 내용으로 구성하였습니다.

Drill (보충학습)

주차별 주제에 대한 연습이 더 필요한 경우 보충학습을 활용합니다.

TIP 연산과정의 확인이 필수적인 주제는 Drill 의 양을 2배로 담았습니다.

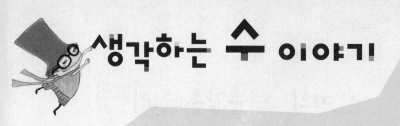

먼 옛날 사람들은 수를 어떻게 사용했을까요?

아기가 처음 태어나서는 수를 전혀 알지 못하지만 자라면서 하나, 둘, 셋을 알아가게 돼요. 아주 먼 옛날 사람들도 수를 전혀 알지 못했지만 필요에 의해서 수가 생겨나기 시작했답니다.

옛날 사람들은 수를 어떻게 사용했을까요?
종이가 없던 옛날 사람들은 수의 필요성을 느끼고 수를 알게 되면서 처음에는 손가락을 이용하여 수를 나타내었다고 합니다. 하지만, 수를 기록해야 하는 일이 생기면서 여러 가지 숫자가 생겼어요.
숫자란 수를 나타내는 글자를 말하는데, 어느 지역에서는 줄에 매듭을 지어서 수를 나타내었어요. 또 어느 짐승의 뼈나 나무에 금을 그어 나타내기도 하고, 진흙으로 만든 판에 수를 새기기도 했답니다.

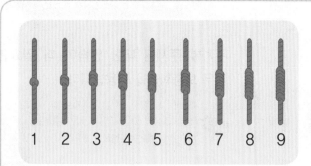

매듭을 이용한 수

진흙으로 만든 판에 새긴 수

소마셈 A2 - 1주차

빼기 2, 3, 4

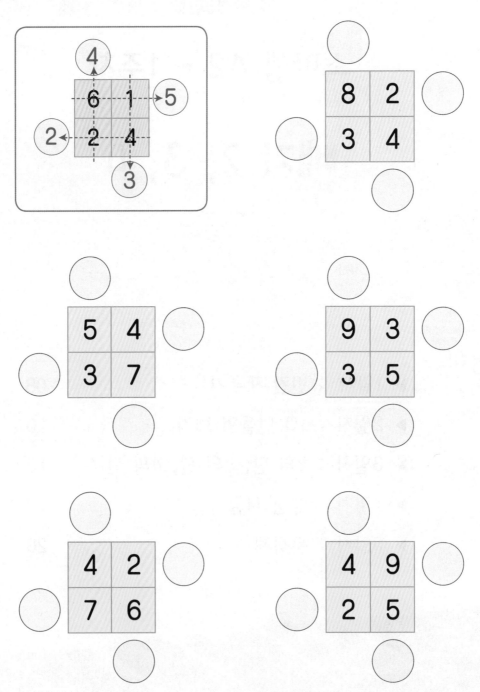

빈칸 채우기

🌱 ◯ 안에는 각 줄의 □ 안의 두 수의 차가 들어갑니다. ◯ 안에 알맞은 수를 써넣으세요.

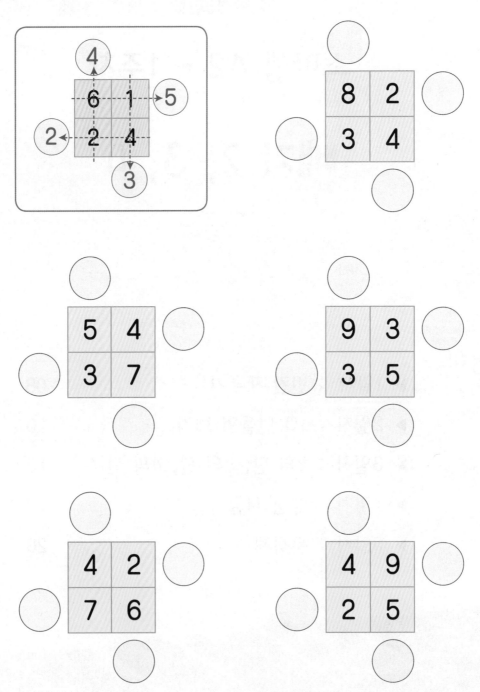

○ 안의 수만큼 차이 나는 두 수를 찾아 선을 그어 보세요.

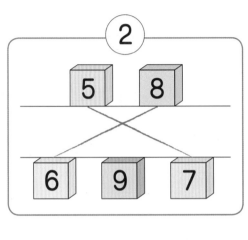

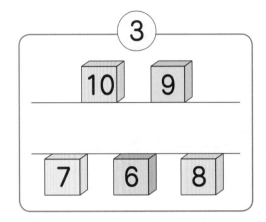

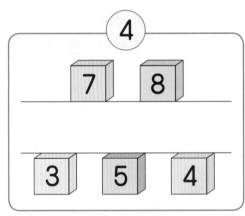

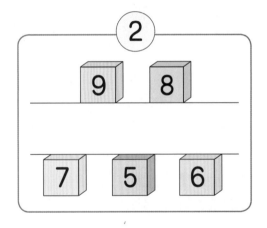

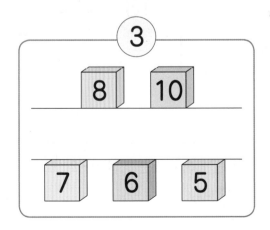

10 만들어 빼기

 그림을 보고, 수를 10으로 만들어 뺄셈을 해 보세요.

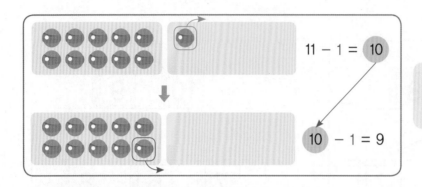

11 - 1 = 10

10 - 1 = 9

$$11 - 2 = \boxed{9}$$

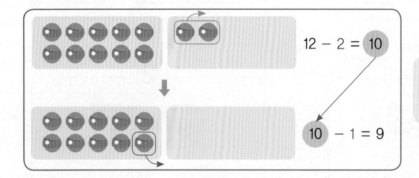

12 - 2 = 10

10 - 1 = 9

$$12 - 3 = \boxed{}$$

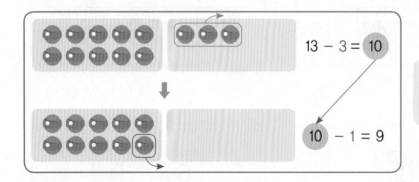

13 - 3 = 10

10 - 1 = 9

$$13 - 4 = \boxed{}$$

11−2=□처럼 일의 자리 수끼리의 차가 적은 경우는 10에서 빼는 방법(10−2+1)보다 10을 만들어 빼는 방법(11−1−1)으로 계산하면 편리합니다.

그림을 보고, 수를 10으로 만들어 뺄셈을 해 보세요.

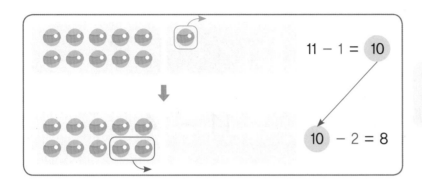

$$11 - 1 = 10$$

$$10 - 2 = 8$$

$$11 - 3 = \boxed{}$$

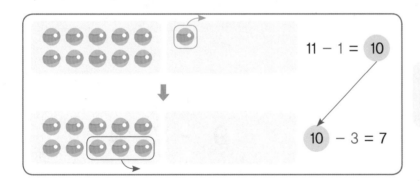

$$11 - 1 = 10$$

$$10 - 3 = 7$$

$$11 - 4 = \boxed{}$$

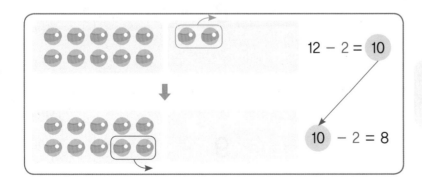

$$12 - 2 = 10$$

$$10 - 2 = 8$$

$$12 - 4 = \boxed{}$$

1주 - 빼기 2, 3, 4 **11**

🌱 수를 10으로 만들어 **뺄셈**을 해 보세요.

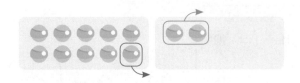

$$12 - 3 = \boxed{9}$$

$$\underset{-2 \quad -1}{\wedge}$$

$$11 - 4 = \boxed{}$$

$$11 - 2 = \boxed{}$$

$$10 - 4 = \boxed{}$$

$$10 - 3 = \boxed{}$$

$$9 - 2 = \boxed{}$$

$$12 - 4 = \boxed{}$$

$$8 - 4 = \boxed{}$$

$$13 - 4 = \boxed{}$$

$$9 - 3 = \boxed{}$$

2의 단, 3의 단, 4의 단

 그림을 보고 2의 단 뺄셈을 해 보세요.

	3 - 2 = 1
	4 - 2 =
	5 - 2 =
	6 - 2 =
	7 - 2 =
	8 - 2 =
	9 - 2 =
	10 - 2 =
	11 - 2 =

그림을 보고 3의 단 뺄셈을 해 보세요.

		$4 - 3 = \boxed{1}$
		$5 - 3 = \boxed{}$
		$6 - 3 = \boxed{}$
		$7 - 3 = \boxed{}$
		$8 - 3 = \boxed{}$
		$9 - 3 = \boxed{}$
		$10 - 3 = \boxed{}$
		$11 - 3 = \boxed{}$
		$12 - 3 = \boxed{}$

그림을 보고 4의 단 뺄셈을 해 보세요.

	$5 - 4 = \boxed{1}$
	$6 - 4 = \boxed{}$
	$7 - 4 = \boxed{}$
	$8 - 4 = \boxed{}$
	$9 - 4 = \boxed{}$
	$10 - 4 = \boxed{}$
	$11 - 4 = \boxed{}$
	$12 - 4 = \boxed{}$
	$13 - 4 = \boxed{}$

□ 안에 알맞은 수를 써넣으세요.

11 - 2 = 9
  −1   −1

11 - 3 = □
  −1   −2

8 - 2 = □

10 - 2 = □

8 - 4 = □

12 - 4 = □

10 - 3 = □

12 - 3 = □

11 - 4 = □

6 - 4 = □

13 - 4 = □

7 - 3 = □

뺄셈 퍼즐

 가로와 세로에 쓰여 있는 수의 차를 빈칸에 써넣으세요.

-	8	9	10	11
3	5	6	7 (10−3)	8

-	8	9	10	11
2				

-	9	10	11	12
3				

-	10	11	12	13
4				

-	6	8	10	12
2				

-	7	10	13
3			

-	8	10	12	14
4				

-	7	10	13
4			

🌱 빼기를 하여 ☐ 안에 알맞은 수를 써넣으세요.

11
10 - 3 = 7
2
=
9

12
10 - 2 =
3
=

10
11 - 3 =
4
=

9
12 - 4 =
3
=

13
11 - 4 =
4
=

11
12 - 3 =
2
=

월
일

🌱 올바른 계산 결과를 찾아 집이 있는 곳까지 가는 길을 그려 보세요.

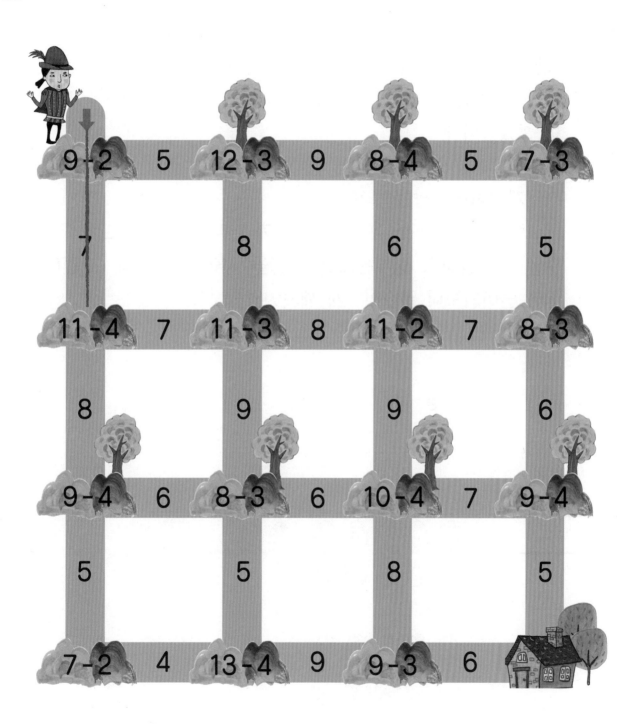

5 일 차 문장제

 이야기를 읽고, 준영이에게 남은 달걀은 몇 개인지 구하세요.

내일은 준영이가 가족들과 동물원으로 소풍을 가기로 한 날입니다. 준영이는 자신이 좋아하는 동물들을 볼 수 있어서 기분이 좋았습니다.

"엄마! 내일 도시락은 김밥 어때요?"

그러자, 엄마가 말했습니다.

"그럼, 달걀이 필요하겠구나. 준영이가 달걀 12개를 사 오겠니?"

준영이는 엄마의 심부름으로 달걀을 사러 갔습니다. 그런데 집에 돌아와보니 달걀이 3개 깨져있었습니다.

준영이에게 남은 달걀은 몇 개일까요?

식 : 12 − 3 = 9 개

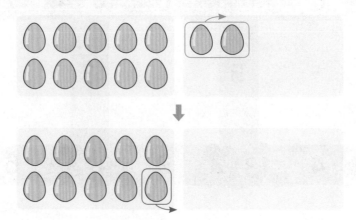

다음을 읽고 알맞은 뺄셈식을 쓰고, 답을 구하세요.

사탕 11개가 있습니다. 지영이가 2개를 먹었다면 남은 사탕은 몇 개일까요?

식 : _____ ☐ 개

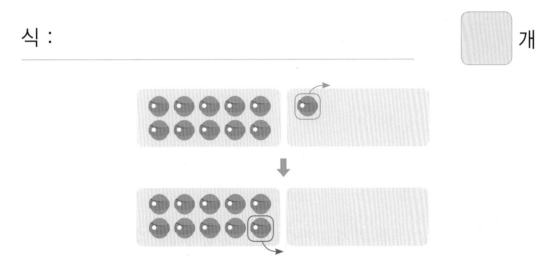

민수가 문방구에서 구슬 12개를 샀습니다. 동생에게 4개를 주었다면 민수에게 남은 구슬은 몇 개일까요?

식 : _____ ☐ 개

 다음을 읽고 알맞은 **뺄셈식**을 쓰고, 답을 구하세요.

남자 어린이 9명이 놀이터에 있습니다. 여자 어린이는 남자 어린이보다 4명 적습니다. 놀이터에 있는 여자 어린이는 몇 명일까요?

식 : ＿＿＿＿＿＿＿＿＿＿＿＿＿＿＿＿＿＿＿＿＿＿　　명

동민이는 연필 10자루를 가지고 있습니다. 그 중 3개를 수미에게 주었습니다. 동민이가 가진 연필은 몇 자루일까요?

식 : ＿＿＿＿＿＿＿＿＿＿＿＿＿＿＿＿＿＿＿＿＿＿　　자루

우리 안에 닭과 병아리가 있습니다. 닭이 11마리 있고, 병아리는 닭보다 3마리 적습니다. 병아리는 몇 마리일까요?

식 : ＿＿＿＿＿＿＿＿＿＿＿＿＿＿＿＿＿＿＿＿＿＿　　마리

 다음을 읽고 알맞은 뺄셈식을 쓰고, 답을 구하세요.

식탁에 귤 11개가 있습니다. 주영이가 그 중 4개를 먹었다면 식탁에 남아 있는 귤은 몇 개일까요?

식 : _____

개

소연이는 12살입니다. 소연이의 동생 동주는 소연이보다 3살 적습니다. 동주는 몇 살일까요?

식 : _____

살

숫자 카드 13장을 놓았습니다. 그 중 4장을 뒤집었습니다. 뒤집지 않은 카드는 몇 장일까요?

식 : _____

장

소마셈 A2 – 2주차

빼기 9, 8

10을 이용한 앞의 수 가르기

 10에서 **뺄** 수 있도록 앞의 수를 갈라 보세요.

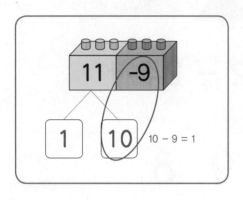

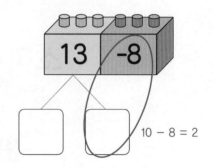

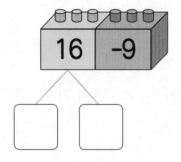

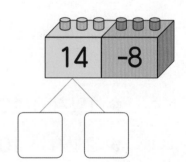

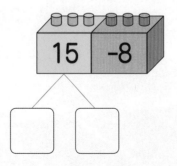

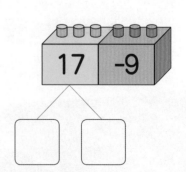

 10에서 뺄 수 있도록 앞의 수를 갈라 보세요.

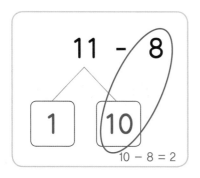

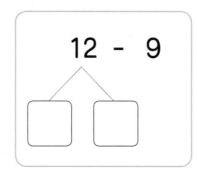

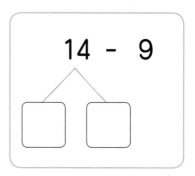

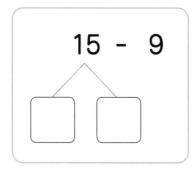

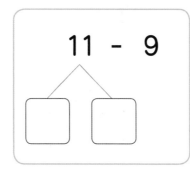

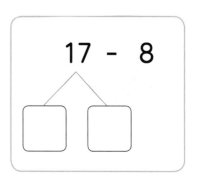

10에서 빼기

🌱 그림을 보고, 10에서 먼저 수를 빼어 뺄셈을 해 보세요.

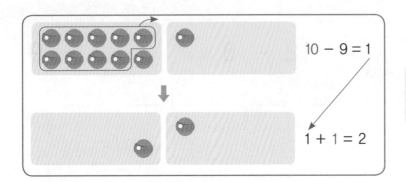

$$10 - 9 = 1$$

$$1 + 1 = 2$$

$$11 - 9 = \boxed{2}$$

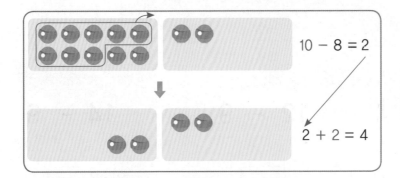

$$10 - 8 = 2$$

$$2 + 2 = 4$$

$$12 - 8 = \boxed{}$$

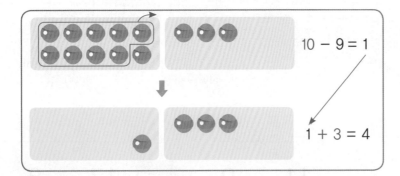

$$10 - 9 = 1$$

$$1 + 3 = 4$$

$$13 - 9 = \boxed{}$$

TIP

$11 - 9 = \square$ 처럼 일의 자리 수끼리의 차가 큰 경우는 10을 만들어 빼는 방법($11-1-8$)보다 10에서 빼는 방법($10-9+1$)으로 계산하면 편리합니다.

 그림을 보고, 10에서 먼저 수를 빼어 뺄셈을 해 보세요.

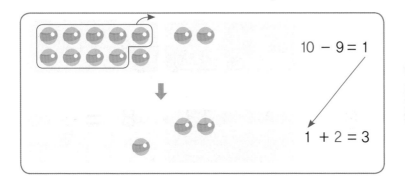

10 - 9 = 1

1 + 2 = 3

12 - 9 = ☐

10 - 8 = 2

2 + 4 = 6

14 - 8 = ☐

10 - 8 = 2

2 + 6 = 8

16 - 8 = ☐

10에서 먼저 수를 빼어 뺄셈을 해 보세요.

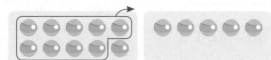

15 - 9 = 6

13 - 8 =

5   10

12 - 8 =

16 - 8 =

11 - 9 =

14 - 9 =

17 - 8 =

15 - 8 =

16 - 9 =

14 - 8 =

 그림을 보고 9의 단 뺄셈을 해 보세요.

9의 단, 8의 단

	10 - 9 = 1
	11 - 9 =
	12 - 9 =
	13 - 9 =
	14 - 9 =
	15 - 9 =
	16 - 9 =
	17 - 9 =
	18 - 9 =

🌱 그림을 보고 8의 단 뺄셈을 해 보세요.

	9 - 8 = $\boxed{1}$
	10 - 8 = $\boxed{}$
	11 - 8 = $\boxed{}$
	12 - 8 = $\boxed{}$
	13 - 8 = $\boxed{}$
	14 - 8 = $\boxed{}$
	15 - 8 = $\boxed{}$
	16 - 8 = $\boxed{}$
	17 - 8 = $\boxed{}$

□ 안에 알맞은 수를 써넣으세요.

13 - 8 = ⬜
3   10

16 - 9 = ⬜
6   10

15 - 8 = ⬜

12 - 8 = ⬜

11 - 8 = ⬜

14 - 9 = ⬜

17 - 9 = ⬜

12 - 9 = ⬜

15 - 9 = ⬜

13 - 8 = ⬜

13 - 9 = ⬜

16 - 8 = ⬜

4일차 빼셈 퍼즐

 가로와 세로에 쓰여 있는 수의 차를 빈칸에 써넣으세요.

-	9	10	11	12
8	1	2 (10-8)	3	4

-	10	11	12	13
9				

-	10	12	14	16
8				

-	10	12	14	16
9				

-	10	13	16	19
9				

-	10	13	16
8			

-	10	14	18
8			

-	10	14	18
9			

올바른 계산 결과를 찾아 길을 그려 보세요.

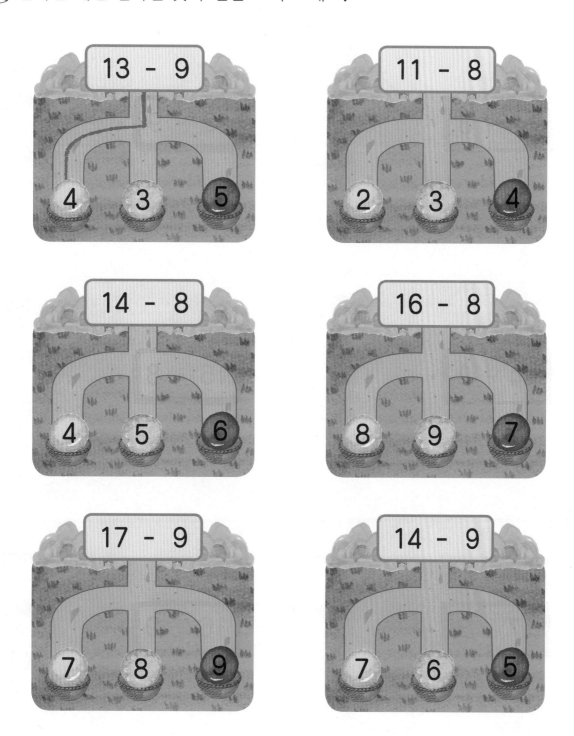

 올바른 계산 결과를 찾아 선을 그어 보세요.

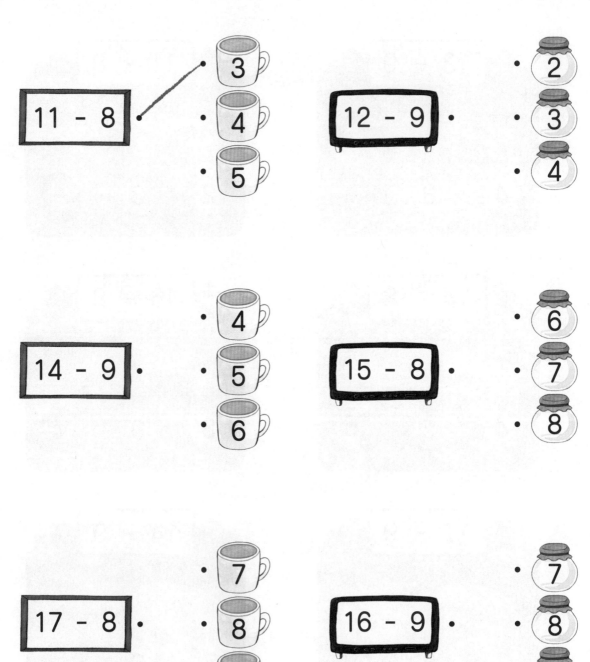

5 일 차 문장제

 이야기를 읽고, 놀이공원에 간 수영이와 친구들은 모두 몇 명인지 구하세요.

수영이와 친구들이 놀이공원에 갔습니다. 수영이가 가장 타고 싶었던 관람차 앞에 친구들과 함께 줄을 서서 기다렸습니다.

"언제 탈 수 있을까?"

한참이 지나도 차례가 오지 않자 수영이와 친구들은 몇 명이 줄을 서서 기다리고 있는지 세어 보았습니다.

"15명이 서 있구나! 그럼, 8명이 탈 때까지만 기다리면 우리 모두 탈 수 있겠다!"

놀이공원에 간 수영이와 친구들은 모두 몇 명일까요?

식 : _____

명

 다음을 읽고 알맞은 뺄셈식을 쓰고, 답을 구하세요.

과일 가게에서 어제는 딸기를 17개 팔았고, 오늘은 어제보다 9개 더 적게 팔았습니다. 오늘은 딸기를 몇 개 팔았을까요?

식 :

개

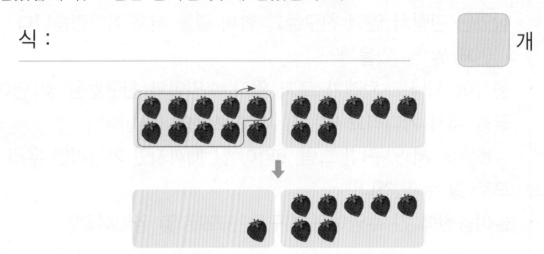

접시에 포도가 14개 있습니다. 그 중 8개를 수진이가 먹었습니다. 남은 포도는 몇 개일까요?

식 :

개

다음을 읽고 알맞은 뺄셈식을 쓰고, 답을 구하세요.

버스 안에 14명의 사람이 타고 있습니다. 다음 정류장에서 9명이 내렸습니다. 버스에 타고 있는 사람은 몇 명일까요?

식 : _____   [ ] 명

준수는 연필 12자루를 가지고 있습니다. 그 중 8자루를 지연이에게 주었습니다. 준수에게 남은 연필은 몇 자루일까요?

식 : _____   [ ] 자루

공원에 노란색 의자와 파란색 의자가 모두 16개 있습니다. 그 중 노란색 의자가 9개입니다. 파란색 의자는 몇 개일까요?

식 : _____   [ ] 개

 다음을 읽고 알맞은 뺄셈식을 쓰고, 답을 구하세요.

마당에 나무 13그루를 심었습니다. 감나무를 8그루 심었고, 나머지는 모두 사과나무입니다. 사과나무는 몇 그루를 심었을까요?

식 : _____   그루

친구들 12명이 피자를 한 조각씩 나눠 먹으려고 합니다. 그런데 피자가 9조각밖에 없습니다. 피자를 먹지 못하는 친구는 몇 명일까요?

식 : _____   명

선미는 15살입니다. 선미의 동생은 선미보다 9살이 적습니다. 선미의 동생은 몇 살일까요?

식 : _____   살

소마셈 A2 - 3주차

빼기 7, 6

빈칸 채우기

🌱 빈칸에 들어갈 수를 찾아 ○표 하세요.

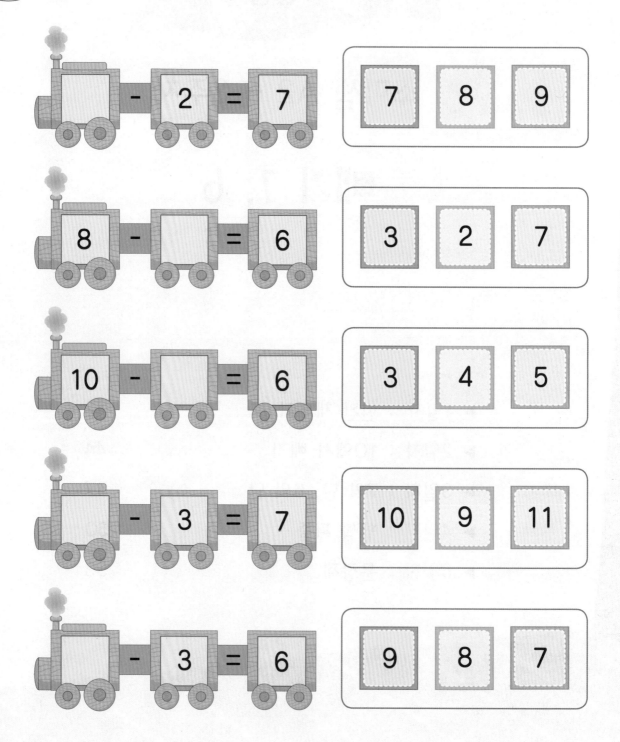

☐ − 2 = 7

| 7 | 8 | 9 |

8 − ☐ = 6

| 3 | 2 | 7 |

10 − ☐ = 6

| 3 | 4 | 5 |

☐ − 3 = 7

| 10 | 9 | 11 |

☐ − 3 = 6

| 9 | 8 | 7 |

안의 수만큼 차이 나는 두 수를 찾아 선을 그어 보세요.

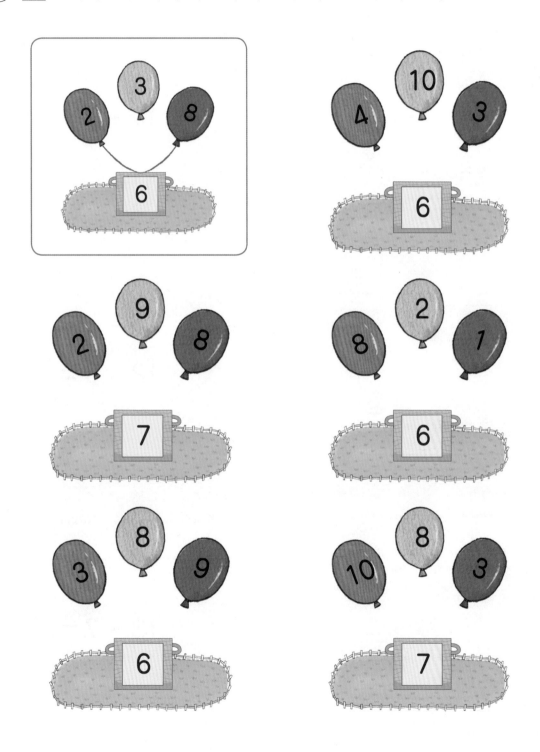

10에서 빼기

🌱 그림을 보고, 10에서 먼저 수를 빼어 뺄셈을 해 보세요.

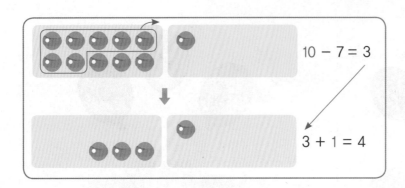

10 − 7 = 3

3 + 1 = 4

11 − 7 = **4**

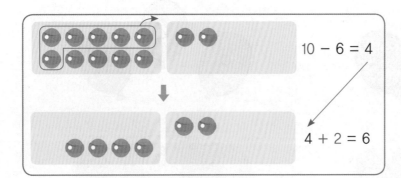

10 − 6 = 4

4 + 2 = 6

12 − 6 =

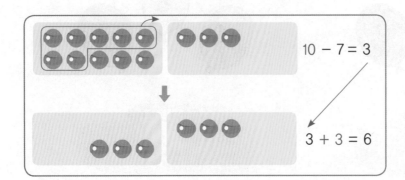

10 − 7 = 3

3 + 3 = 6

13 − 7 =

월

일

 그림을 보고, 10에서 먼저 수를 빼어 뺄셈을 해 보세요.

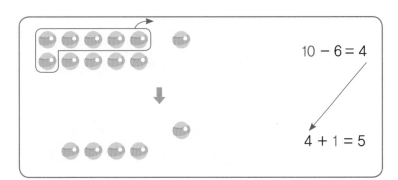

$10 - 6 = 4$

$4 + 1 = 5$

$11 - 6 = \boxed{}$

$10 - 7 = 3$

$3 + 4 = 7$

$14 - 7 = \boxed{}$

$10 - 6 = 4$

$4 + 4 = 8$

$14 - 6 = \boxed{}$

10에서 먼저 수를 빼어 뺄셈을 해 보세요.

15 - 7 = 8

13 - 6 =

12 - 6 =

10 - 6 =

11 - 7 =

15 - 6 =

12 - 7 =

13 - 7 =

14 - 6 =

14 - 7 =

7의 단, 6의 단

 그림을 보고 7의 단 뺄셈을 해 보세요.

	8 - 7 = 1
	9 - 7 =
	10 - 7 =
	11 - 7 =
	12 - 7 =
	13 - 7 =
	14 - 7 =
	15 - 7 =
	16 - 7 =

그림을 보고 6의 단 뺄셈을 해 보세요.

		7 - 6 = 1
		8 - 6 =
		9 - 6 =
		10 - 6 =
		11 - 6 =
		12 - 6 =
		13 - 6 =
		14 - 6 =
		15 - 6 =

□ 안에 알맞은 수를 써넣으세요.

13 - 7 = 6
3 10

12 - 6 = ☐
2   10

15 - 7 = ☐

15 - 6 = ☐

10 - 6 = ☐

14 - 7 = ☐

14 - 6 = ☐

12 - 7 = ☐

11 - 6 = ☐

13 - 6 = ☐

10 - 7 = ☐

11 - 7 = ☐

뺄셈 퍼즐

 가로와 세로에 쓰여 있는 수의 차를 빈칸에 써넣으세요.

-	8	9	10	11
6	2	3	4 (10-6)	5

-	10	11	12	13
6				

-	9	10	11	12
7				

-	10	12	14	16
7				

-	8	10	12	14
6				

-	10	13	16
7			

-	7	10	13	16
6				

-	10	14	18
7			

🌱 사다리를 타고 내려와 □ 안에 알맞은 수를 써넣으세요.

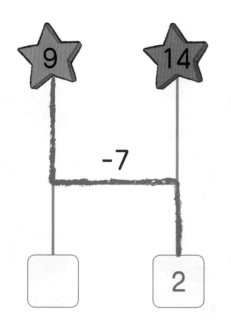

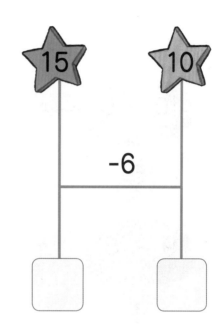

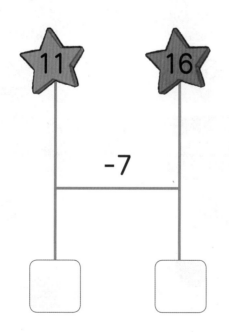

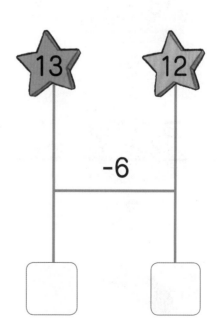

🌱 토끼가 당근을 찾을 수 있도록 올바른 계산 결과를 찾아 길을 그려 보세요.

10 - 6 → 4 →	13 - 7 → 8 →	14 - 6
↓ 6	↓ 6	↓ 7
9 - 6 → 4 →	11 - 6 → 5 →	15 - 6
↓ 1	↓ 6	↓ 9
13 - 6 ← 8 ←	12 - 6 ← 3 ←	10 - 7
↓ 7	↓ 6	↓ 4
12 - 7 ← 6 ←	15 - 7 ← 9 ←	8 - 6
↓ 7	↓ 8	↓ 2

문장제

 이야기를 읽고, 진서가 여행을 간 날짜를 구하세요.

진서는 지난주에 가족과 함께 여행을 다녀왔습니다.
수목원에 가서 갖가지 예쁜 꽃들과 나무들을 보고, 맛있는 도시락도 먹었습니다.
가족들과 둘러앉아 여행지에서 찍은 사진들을 보더니 진서가 말했습니다. "아빠! 내일 또 여행 가요!"
아빠가 달력을 보며 말했습니다.
"오늘이 14일이야. 여행 다녀온지 6일밖에 안됐는걸?"
가족들은 크게 웃으며 다음 번 여행을 계획했습니다.
진서가 수목원으로 여행을 간 날짜는 며칠일까요?

식 :

일

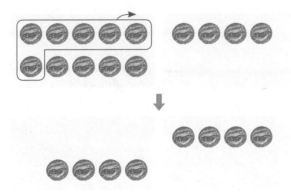

 다음을 읽고 알맞은 뺄셈식을 쓰고, 답을 구하세요.

모자가 14개 있습니다. 그 중 7개가 낡아서 버리려고 합니다. 남은 모자는 몇 개일까요?

식 :

개

지민이는 문구점에서 연필 12자루를 샀습니다. 언니에게 6자루를 주었다면 지민이에게 남은 연필은 몇 자루일까요?

식 :

자루

다음을 읽고 알맞은 뺄셈식을 쓰고, 답을 구하세요.

현수는 종이학 11마리를 접었습니다. 진영이는 현수보다 6마리 적게 접었다면 진영이가 접은 종이학은 몇 마리일까요?

식 :

마리

바구니에 빵 10개가 있었는데 6개를 먹었습니다. 남은 빵은 몇 개일까요?

식 :

개

소현이는 토끼 13마리를 키웁니다. 며칠 뒤 친구에게 토끼 5마리를 주었다면, 소현이에게 토끼가 몇 마리 남았을까요?

식 :

마리

 다음을 읽고 알맞은 뺄셈식을 쓰고, 답을 구하세요.

흰색 바둑돌과 검은색 바둑돌이 모두 15개 있습니다. 그 중 7개는 흰색이라면 검은색 바둑돌은 몇 개일까요?

식 : _____ ☐ 개

냉장고에 딸기 11개가 있었는데 7개를 먹었습니다. 남은 딸기는 몇 개일까요?

식 : _____ ☐ 개

운동장에 학생들이 모여 있습니다. 남학생이 15명이고 여학생은 남학생보다 6명 적습니다. 여학생은 몇 명일까요?

식 : _____ ☐ 명

소마셈 A2 – 4주차

빼기 5

빈칸 채우기

🌱 위의 두 수의 차가 바로 아래의 수가 되도록 □ 안에 알맞은 수를 써넣으세요.

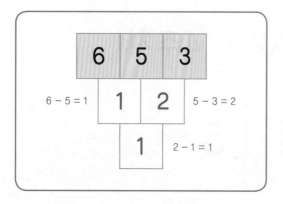

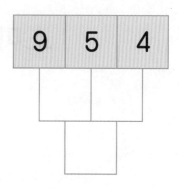

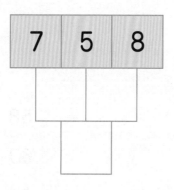

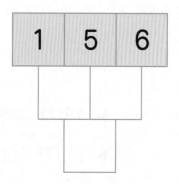

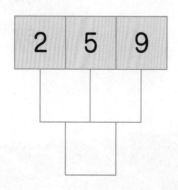

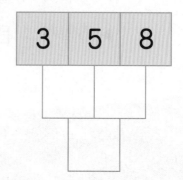

○에 들어갈 수를 찾아 색칠해 보세요.

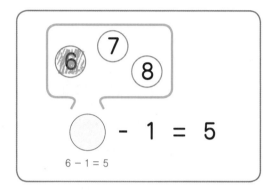

⑥ ⑦ ⑧

◯ - 1 = 5

6 - 1 = 5

⑦ ⑨ ⑧

◯ - 3 = 5

⑥ ⑦ ⑧

◯ - 2 = 5

② ① ③

6 - ◯ = 5

② ① ③

8 - ◯ = 5

⑧ ⑨ ⑥

◯ - 4 = 5

10에서 빼기

🌱 그림을 보고, 10에서 먼저 수를 빼어 뺄셈을 해 보세요.

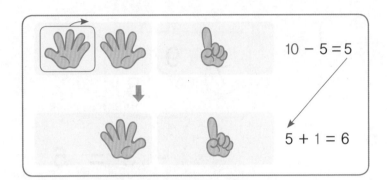

$$10 - 5 = 5$$

$$5 + 1 = 6$$

$$11 - 5 = \boxed{}$$

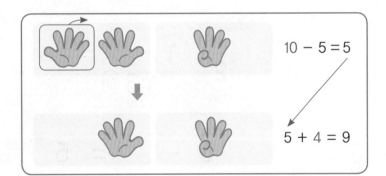

$$10 - 5 = 5$$

$$5 + 4 = 9$$

$$14 - 5 = \boxed{}$$

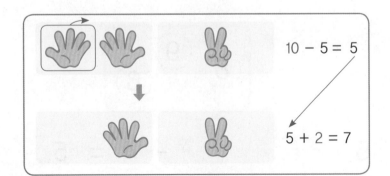

$$10 - 5 = 5$$

$$5 + 2 = 7$$

$$12 - 5 = \boxed{}$$

10에서 먼저 수를 빼어 뺄셈을 해 보세요.

13 - 5 = $\boxed{8}$ 11 - 5 = $\boxed{}$

3   10

7 - 5 = $\boxed{}$ 10 - 5 = $\boxed{}$

12 - 5 = $\boxed{}$ 9 - 5 = $\boxed{}$

10 - 5 = $\boxed{}$ 14 - 5 = $\boxed{}$

8 - 5 = $\boxed{}$ 15 - 5 = $\boxed{}$

6 - 5 = $\boxed{}$ 13 - 5 = $\boxed{}$

3 일 차   5의 단

 그림을 보고 5의 단 뺄셈을 해 보세요.

	6 - 5 = 1
	7 - 5 =
	8 - 5 =
	9 - 5 =
	10 - 5 =
	11 - 5 =
	12 - 5 =
	13 - 5 =
	14 - 5 =

□ 안에 알맞은 수를 써넣으세요.

12 - 5 = [7]　　　11 - 5 = [　]
2　10　　　　　　1　10

13 - 5 = [　]　　　10 - 5 = [　]

9 - 5 = [　]　　　6 - 5 = [　]

14 - 5 = [　]　　　8 - 5 = [　]

7 - 5 = [　]　　　15 - 5 = [　]

12 - 5 = [　]　　　11 - 5 = [　]

뺄셈 퍼즐

 가로와 세로에 쓰여 있는 수의 차를 빈칸에 써넣으세요.

-	7	8	9	10
5	2	3	4	5 (10−5)

-	10	11	12	13
5				

-	10	12	14	16
5				

-	7	10	13	16
5				

 □ 안에 알맞은 수를 써넣으세요.

$$14 - 5 = \boxed{}$$

$$13 - 5 = \boxed{}$$

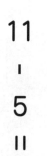

$$\boxed{} - 5 = \boxed{}$$

$$12 - 5 = \boxed{}$$

$$11 - 5 = \boxed{}$$

$$\boxed{} - 5 = \boxed{}$$

🌱 계산 결과가 같은 것끼리 선으로 이어 보세요.

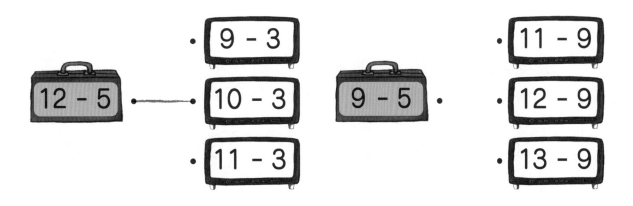

 그림을 보고, 두 가지 방법 중 더 쉬운 방법으로 뺄셈을 해 보세요.

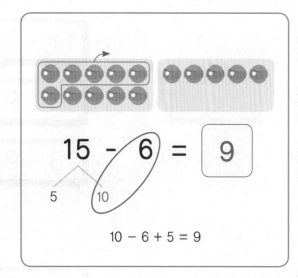

$$15 - 6 = \boxed{9}$$

$10 - 6 + 5 = 9$

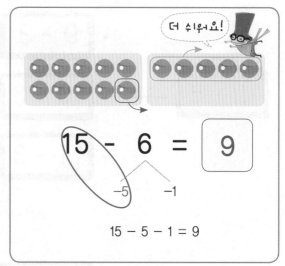

더 쉬워요!

$$15 - 6 = \boxed{9}$$

$15 - 5 - 1 = 9$

$$15 - 6 = \boxed{}$$

$-5 \quad -1$

$$15 - 7 = \boxed{}$$

$-5 \quad -2$

$$16 - 7 = \boxed{}$$

$$14 - 6 = \boxed{}$$

$$13 - 5 = \boxed{}$$

$$14 - 5 = \boxed{}$$

 TIP

위와 같이 일의 자리 수끼리의 차가 1 또는 2 정도로 적은 경우는 10에서 빼는 방법
($10-6+5$)보다 10을 만들어 빼는 방법($15-5-1$)으로 계산하는 것이 더 쉽습니다.

문장제

 이야기를 읽고, 형진이의 나이를 구하세요.

할머니의 생신날, 형진이의 친척들이 모두 모였습니다. 형진이는 삼촌, 이모, 사촌 형도 모두 오랜만에 만나 반갑게 인사했습니다. 이때, 사촌 형 진호가 말했습니다.

"형진아! 그 동안 잘 지냈니?"

"응, 잘 지냈어."

"못 본 사이에 키가 많이 자랐구나! 네가 나보다 5살 적었는데, 나만큼 키가 커졌네! 내가 13살이니까.."

형진이는 몇 살일까요?

식 :

☐ 살

내가 13살이면, 형진이는 몇 살이지?

진호

🌱 다음을 읽고 알맞은 뺄셈식을 쓰고, 답을 구하세요.

영미는 사탕을 12개 가지고 있습니다. 진주는 영미보다 사탕을 5개 적게 가지고 있습니다. 진주가 가진 사탕은 몇 개일까요?

식 :
_____

☐ 개

색종이 14장이 있습니다. 그 중 빨간색 색종이가 5장이고, 나머지는 모두 노란색입니다. 노란색 색종이는 몇 장일까요?

식 :
_____

☐ 장

다음을 읽고 알맞은 뺄셈식을 쓰고, 답을 구하세요.

초콜렛 10개가 있는데 수민이가 5개를 먹었습니다. 남은 초콜렛은 몇 개일까요?

식 : _____ ☐ 개

운동장에 빨간색 풍선과 파란색 풍선이 모두 11개 있습니다. 그 중 파란색 풍선이 5개입니다. 빨간색 풍선은 몇 개일까요?

식 : _____ ☐ 개

지붕 위에 참새 14마리가 앉아있었는데 5마리가 날아갔습니다. 지붕 위에 남아있는 참새는 몇 마리일까요?

식 : _____ 마리

 다음을 읽고 알맞은 **뺄셈식**을 쓰고, 답을 구하세요.

지훈이는 카드 13장을 가지고 있습니다. 그 중 5장을 잃어버렸다면 남은 카드는 몇 장일까요?

식 : _____

장

정인이가 송편을 9개 만들었습니다. 동생은 정인이보다 5개 적게 만들었다면 동생이 만든 송편은 몇 개일까요?

식 : _____

개

색연필 12자루가 있습니다. 그 중 5자루를 친구에게 빌려주었다면 남은 색연필은 몇 자루일까요?

식 : _____

자루

Drill

빼기 2, 3, 4

□ 안에 알맞은 수를 써넣으세요.

9 - 3 = ☐

10 - 4 = ☐

11 - 3 = ☐

11 - 2 = ☐

7 - 4 = ☐

8 - 2 = ☐

10 - 3 = ☐

10 - 2 = ☐

12 - 4 = ☐

12 - 3 = ☐

13 - 4 = ☐

11 - 4 = ☐

11 - 2 = ☐

7 - 3 = ☐

□ 안에 알맞은 수를 써넣으세요.

7 − 2 = ☐   12 − 4 = ☐

10 − 3 = ☐   9 − 2 = ☐

12 − 3 = ☐   11 − 3 = ☐

7 − 3 = ☐   10 − 4 = ☐

13 − 4 = ☐   11 − 2 = ☐

8 − 3 = ☐   9 − 4 = ☐

11 − 4 = ☐   9 − 3 = ☐

□ 안에 알맞은 수를 써넣으세요.

4 - 2 = ☐

9 - 4 = ☐

8 - 3 = ☐

10 - 3 = ☐

9 - 2 = ☐

11 - 3 = ☐

11 - 3 = ☐

8 - 2 = ☐

7 - 3 = ☐

9 - 3 = ☐

8 - 4 = ☐

12 - 4 = ☐

11 - 4 = ☐

13 - 4 = ☐

□ 안에 알맞은 수를 써넣으세요.

9 - 2 = ☐

8 - 4 = ☐

7 - 3 = ☐

9 - 3 = ☐

10 - 2 = ☐

11 - 4 = ☐

12 - 4 = ☐

7 - 4 = ☐

10 - 3 = ☐

9 - 4 = ☐

10 - 4 = ☐

13 - 4 = ☐

11 - 3 = ☐

12 - 3 = ☐

□ 안에 알맞은 수를 써넣으세요.

10 - 8 = ☐

11 - 8 = ☐

9 - 8 = ☐

11 - 9 = ☐

13 - 9 = ☐

13 - 8 = ☐

16 - 9 = ☐

12 - 9 = ☐

12 - 8 = ☐

10 - 9 = ☐

14 - 9 = ☐

14 - 8 = ☐

16 - 8 = ☐

15 - 8 = ☐

□ 안에 알맞은 수를 써넣으세요.

15 − 9 = ☐   14 − 8 = ☐

11 − 8 = ☐   13 − 8 = ☐

12 − 9 = ☐   10 − 8 = ☐

12 − 8 = ☐   17 − 9 = ☐

15 − 8 = ☐   9 − 8 = ☐

17 − 8 = ☐   18 − 9 = ☐

11 − 9 = ☐   14 − 9 = ☐

□ 안에 알맞은 수를 써넣으세요.

9 - 8 = □   12 - 8 = □

11 - 8 = □   10 - 9 = □

14 - 8 = □   12 - 8 = □

12 - 9 = □   14 - 9 = □

15 - 9 = □   13 - 8 = □

15 - 8 = □   17 - 8 = □

17 - 9 = □   16 - 8 = □

□ 안에 알맞은 수를 써넣으세요.

12 - 9 = ☐   11 - 8 = ☐

11 - 9 = ☐   14 - 8 = ☐

12 - 8 = ☐   13 - 8 = ☐

10 - 8 = ☐   17 - 8 = ☐

9 - 8 = ☐   18 - 9 = ☐

15 - 8 = ☐   16 - 8 = ☐

13 - 9 = ☐   16 - 9 = ☐

빼기 7, 6

□ 안에 알맞은 수를 써넣으세요.

10 - 6 =

12 - 7 =

13 - 6 =

11 - 7 =

15 - 6 =

13 - 7 =

7 - 6 =

12 - 6 =

8 - 6 =

10 - 7 =

11 - 6 =

9 - 6 =

14 - 6 =

15 - 7 =

□ 안에 알맞은 수를 써넣으세요.

12 - 6 = ☐

14 - 7 = ☐

12 - 7 = ☐

8 - 6 = ☐

11 - 6 = ☐

14 - 6 = ☐

10 - 6 = ☐

13 - 6 = ☐

9 - 7 = ☐

7 - 6 = ☐

15 - 7 = ☐

15 - 6 = ☐

13 - 7 = ☐

16 - 7 = ☐

□ 안에 알맞은 수를 써넣으세요.

9 - 7 = ☐   7 - 6 = ☐

12 - 6 = ☐   10 - 7 = ☐

13 - 7 = ☐   11 - 7 = ☐

10 - 6 = ☐   13 - 6 = ☐

11 - 6 = ☐   12 - 7 = ☐

15 - 7 = ☐   14 - 7 = ☐

14 - 6 = ☐   16 - 7 = ☐

□ 안에 알맞은 수를 써넣으세요.

15 - 6 = ☐   12 - 7 = ☐

10 - 7 = ☐   15 - 6 = ☐

11 - 7 = ☐   13 - 6 = ☐

14 - 6 = ☐   9 - 7 = ☐

9 - 6 = ☐   8 - 6 = ☐

14 - 7 = ☐   10 - 6 = ☐

15 - 7 = ☐   13 - 7 = ☐

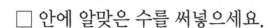

□ 안에 알맞은 수를 써넣으세요.

10 - 5 = ☐   12 - 5 = ☐

6 - 5 = ☐   13 - 5 = ☐

9 - 5 = ☐   11 - 5 = ☐

14 - 5 = ☐   8 - 5 = ☐

7 - 5 = ☐   15 - 5 = ☐

12 - 5 = ☐   14 - 5 = ☐

11 - 5 = ☐   9 - 5 = ☐

□ 안에 알맞은 수를 써넣으세요.

9 - 5 = ☐

14 - 5 = ☐

7 - 5 = ☐

12 - 5 = ☐

8 - 5 = ☐

15 - 5 = ☐

14 - 5 = ☐

13 - 5 = ☐

11 - 5 = ☐

10 - 5 = ☐

6 - 5 = ☐

12 - 5 = ☐

13 - 5 = ☐

11 - 5 = ☐

□ 안에 알맞은 수를 써넣으세요.

11 - 5 = ☐   9 - 5 = ☐

8 - 5 = ☐   13 - 5 = ☐

15 - 5 = ☐   14 - 5 = ☐

10 - 5 = ☐   7 - 5 = ☐

6 - 5 = ☐   12 - 5 = ☐

12 - 5 = ☐   14 - 5 = ☐

9 - 5 = ☐   11 - 5 = ☐

□ 안에 알맞은 수를 써넣으세요.

6 - 5 = ☐   10 - 5 = ☐

12 - 5 = ☐   12 - 5 = ☐

13 - 5 = ☐   14 - 5 = ☐

9 - 5 = ☐   15 - 5 = ☐

8 - 5 = ☐   11 - 5 = ☐

13 - 5 = ☐   14 - 5 = ☐

11 - 5 = ☐   7 - 5 = ☐

소마의 마술같은 원리셈

정답

정답

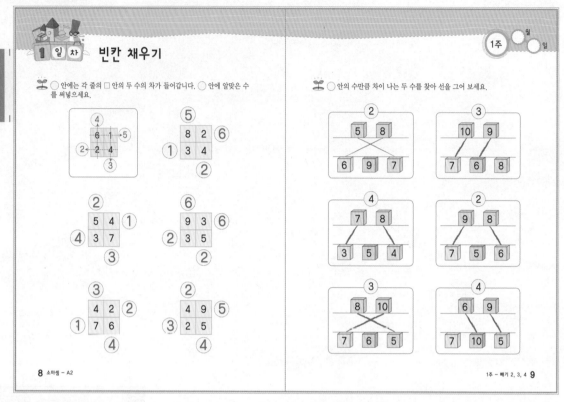

1일차 빈칸 채우기

🌱 ◯안에는 각 줄의 ☐안의 두 수의 차가 들어갑니다. ◯안에 알맞은 수를 써넣으세요.

🌱 ◯안의 수만큼 차이 나는 두 수를 찾아 선을 그어 보세요.

8 소마셈 – A2

1주 – 빼기 2, 3, 4 9

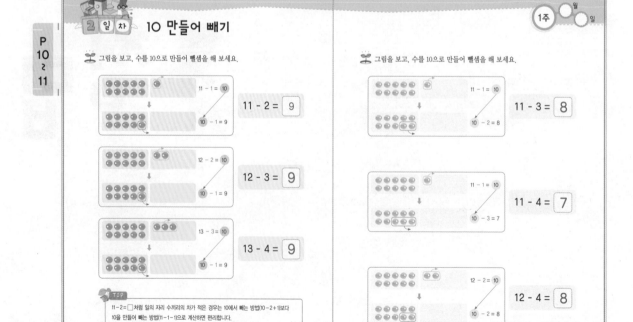

2일차 10 만들어 빼기

🌱 그림을 보고, 수를 10으로 만들어 뺄셈을 해 보세요.

11 - 1 = 10
10 - 1 = 9

11 - 2 = 9

12 - 2 = 10
10 - 1 = 9

12 - 3 = 9

13 - 3 = 10
10 - 1 = 9

13 - 4 = 9

🌱 그림을 보고, 수를 10으로 만들어 뺄셈을 해 보세요.

11 - 1 = 10
10 - 2 = 8

11 - 3 = 8

11 - 1 = 10
10 - 3 = 7

11 - 4 = 7

12 - 2 = 10
10 - 2 = 8

12 - 4 = 8

TIP
11 - 2 = ☐처럼 일의 자리 수끼리의 차가 적은 경우는 10에서 빼는 방법(10 - 2 + 1)보다
10을 만들어 빼는 방법(11 - 1 - 1)으로 계산하면 편리합니다.

10 소마셈 – A2

1주 – 빼기 2, 3, 4 11

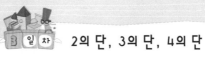

2의 단, 3의 단, 4의 단

🌱 수를 10으로 만들어 뺄셈을 해 보세요.

12 - 3 = 9

11 - 4 = 7

11 - 2 = 9

10 - 4 = 6

10 - 3 = 7

9 - 2 = 7

12 - 4 = 8

8 - 4 = 4

13 - 4 = 9

9 - 3 = 6

12 소마셈 – A2

🌱 그림을 보고 2의 단 뺄셈을 해 보세요.

	3 - 2 = 1
	4 - 2 = 2
	5 - 2 = 3
	6 - 2 = 4
	7 - 2 = 5
	8 - 2 = 6
	9 - 2 = 7
	10 - 2 = 8
	11 - 2 = 9

🌱 그림을 보고 3의 단 뺄셈을 해 보세요.

	4 - 3 = 1
	5 - 3 = 2
	6 - 3 = 3
	7 - 3 = 4
	8 - 3 = 5
	9 - 3 = 6
	10 - 3 = 7
	11 - 3 = 8
	12 - 3 = 9

🌱 그림을 보고 4의 단 뺄셈을 해 보세요.

	5 - 4 = 1
	6 - 4 = 2
	7 - 4 = 3
	8 - 4 = 4
	9 - 4 = 5
	10 - 4 = 6
	11 - 4 = 7
	12 - 4 = 8
	13 - 4 = 9

P 16 ~ 17

□ 안에 알맞은 수를 써넣으세요.

11 - 2 = 9   11 - 3 = 8

8 - 2 = 6   10 - 2 = 8

8 - 4 = 4   12 - 4 = 8

10 - 3 = 7   12 - 3 = 9

11 - 4 = 7   6 - 4 = 2

13 - 4 = 9   7 - 3 = 4

16 소마셈 – A2

빽셈 퍼즐

가로와 세로에 쓰여 있는 수의 차를 빈칸에 써넣으세요.

-	8	9	10	11
3	5	6	7 (10-3)	8

-	8	9	10	11
2	6	7	8	9

-	9	10	11	12
3	6	7	8	9

-	10	11	12	13
4	6	7	8	9

-	6	8	10	12
2	4	6	8	10

-	7	10	13
3	4	7	10

-	8	10	12	14
4	4	6	8	10

-	7	10	13
4	3	6	9

1주 – 빼기 2, 3, 4 17

P 18 ~ 19

빼기를 하여 □ 안에 알맞은 수를 써넣으세요.

11 / 10 - 3 = 7 / 2 = 9

12 / 10 - 2 = 8 / 3 = 9

10 / 11 - 3 = 8 / 4 = 6

9 / 12 - 4 = 8 / 3 = 6

13 / 11 - 4 = 7 / 4 = 9

11 / 12 - 3 = 9 / 2 = 9

18 소마셈 – A2

올바른 계산 결과를 찾아 집이 있는 곳까지 가는 길을 그려 보세요.

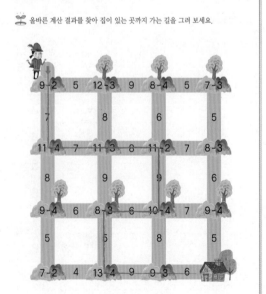

1주 – 빼기 2, 3, 4 19

 문장제

🌱 이야기를 읽고, 준영이에게 남은 달걀은 몇 개인지 구하세요.

내일은 준영이가 가족들과 동물원으로 소풍을 가기로 한 날입니다. 준영이는 자신이 좋아하는 동물들을 볼 수 있어서 기분이 좋았습니다.
"엄마! 내일 도시락은 김밥 어때요?"
그러자, 엄마가 말했습니다.
"그럼, 달걀이 필요하겠구나. 준영이가 달걀 12개를 사 오겠니?"
준영이는 엄마의 심부름으로 달걀을 사러 갔습니다. 그런데 집에 돌아와보니 달걀이 3개 깨져있었습니다.
준영이에게 남은 달걀은 몇 개일까요?

식 : 12 - 3 = 9   **9** 개

🌱 다음을 읽고 알맞은 뺄셈식을 쓰고, 답을 구하세요.

사탕 11개가 있습니다. 지영이가 2개를 먹는다면 남은 사탕은 몇 개일까요?

식 : 11 - 2 = 9   **9** 개

민수가 문방구에서 구슬 12개를 샀습니다. 동생에게 4개를 주었다면 민수에게 남은 구슬은 몇 개일까요?

식 : 12 - 4 = 8   **8** 개

P 20 ~ 21

🌱 다음을 읽고 알맞은 뺄셈식을 쓰고, 답을 구하세요.

남자 어린이 9명이 놀이터에 있습니다. 여자 어린이는 남자 어린이보다 4명 적습니다. 놀이터에 있는 여자 어린이는 몇 명일까요?

식 : 9 - 4 = 5   **5** 명

동민이는 연필 10자루를 가지고 있습니다. 그 중 3개를 수미에게 주었습니다. 동민이가 가진 연필은 몇 자루일까요?

식 : 10 - 3 = 7   **7** 자루

우리 안에 닭과 병아리가 있습니다. 닭이 11마리 있고, 병아리는 닭보다 3마리 적습니다. 병아리는 몇 마리일까요?

식 : 11 - 3 = 8   **8** 마리

🌱 다음을 읽고 알맞은 뺄셈식을 쓰고, 답을 구하세요.

식탁에 귤 11개가 있습니다. 주영이가 그 중 4개를 먹는다면 식탁에 남아 있는 귤은 몇 개일까요?

식 : 11 - 4 = 7   **7** 개

소연이는 12살입니다. 소연이의 동생 동주는 소연이보다 3살 적습니다. 동주는 몇 살일까요?

식 : 12 - 3 = 9   **9** 살

숫자 카드 13장을 놓았습니다. 그 중 4장을 뒤집었습니다. 뒤집지 않은 카드는 몇 장일까요?

식 : 13 - 4 = 9   **9** 장

P 22 ~ 23

정답

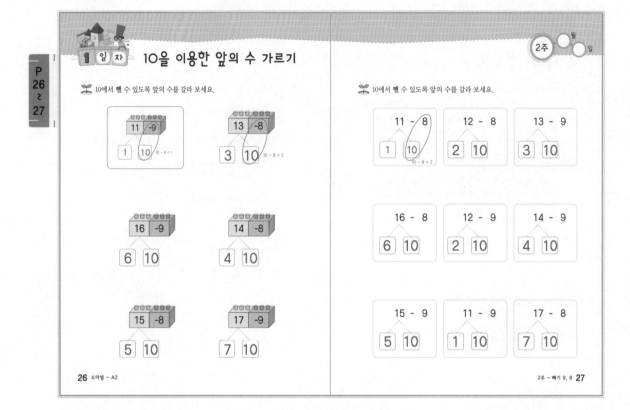

1 일 차 10을 이용한 앞의 수 가르기

🌱 10에서 뺄 수 있도록 앞의 수를 갈라 보세요.

11 -9
1 10   10 - 9 = 1

13 -8
3 10   10 - 8 = 2

16 -9
6 10

14 -8
4 10

15 -8
5 10

17 -9
7 10

🌱 10에서 뺄 수 있도록 앞의 수를 갈라 보세요.

11 - 8
1 10
10 - 8 = 2

12 - 8
2 10

13 - 9
3 10

16 - 8
6 10

12 - 9
2 10

14 - 9
4 10

15 - 9
5 10

11 - 9
1 10

17 - 8
7 10

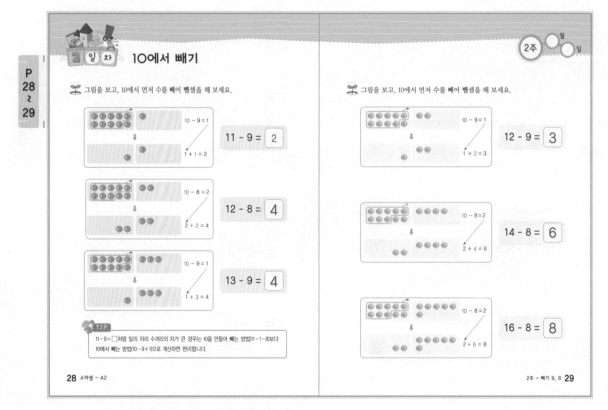

2 일 차 10에서 빼기

🌱 그림을 보고, 10에서 먼저 수를 빼어 뺄셈을 해 보세요.

10 - 9 = 1
↓
1 + 1 = 2

11 - 9 = **2**

10 - 8 = 2
↓
2 + 2 = 4

12 - 8 = **4**

10 - 9 = 1
↓
1 + 3 = 4

13 - 9 = **4**

🌱 그림을 보고, 10에서 먼저 수를 빼어 뺄셈을 해 보세요.

10 - 9 = 1
↓
1 + 2 = 3

12 - 9 = **3**

10 - 8 = 2
↓
2 + 4 = 6

14 - 8 = **6**

10 - 8 = 2
↓
2 + 6 = 8

16 - 8 = **8**

TIP
11 - 9 = □처럼 일의 자리 수끼리의 차가 큰 경우는 10을 만들어 빼는 방법(11-1-8)보다
10에서 빼는 방법(10-9+1)으로 계산하면 편리합니다.

2주

9의 단, 8의 단

🌱 10에서 먼저 수를 빼어 뺄셈을 해 보세요.

15 - 9 = 6

13 - 8 = 5

12 - 8 = 4

16 - 8 = 8

11 - 9 = 2

14 - 9 = 5

17 - 8 = 9

15 - 8 = 7

16 - 9 = 7

14 - 8 = 6

🌱 그림을 보고 9의 단 뺄셈을 해 보세요.

	10 - 9 = 1
	11 - 9 = 2
	12 - 9 = 3
	13 - 9 = 4
	14 - 9 = 5
	15 - 9 = 6
	16 - 9 = 7
	17 - 9 = 8
	18 - 9 = 9

🌱 그림을 보고 8의 단 뺄셈을 해 보세요.

	9 - 8 = 1
	10 - 8 = 2
	11 - 8 = 3
	12 - 8 = 4
	13 - 8 = 5
	14 - 8 = 6
	15 - 8 = 7
	16 - 8 = 8
	17 - 8 = 9

2주

🌱 □ 안에 알맞은 수를 써넣으세요.

13 - 8 = 5

16 - 9 = 7

15 - 8 = 7

12 - 8 = 4

11 - 8 = 3

14 - 9 = 5

17 - 9 = 8

12 - 9 = 3

15 - 9 = 6

13 - 8 = 5

13 - 9 = 4

16 - 8 = 8

4일차 뺄셈 퍼즐

가로와 세로에 쓰여 있는 수의 차를 빈칸에 써넣으세요.

-	9	10	11	12
8	1	→2 (10-8)	3	4

-	10	11	12	13
9	1	2	3	4

-	10	12	14	16
8	2	4	6	8

-	10	12	14	16
9	1	3	5	7

-	10	13	16	19
9	1	4	7	10

-	10	13	16
8	2	5	8

-	10	14	18
8	2	6	10

-	10	14	18
9	1	5	9

올바른 계산 결과를 찾아 길을 그려 보세요.

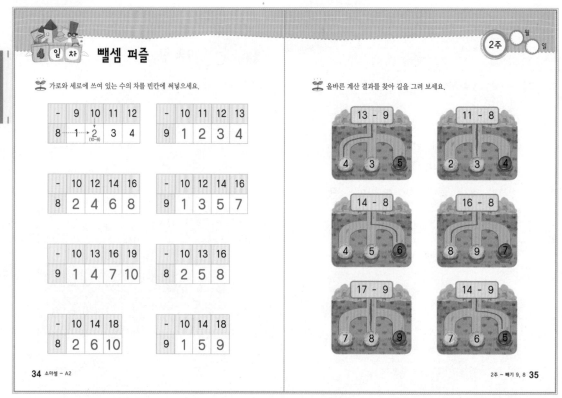

2주

올바른 계산 결과를 찾아 선을 그어 보세요.

11 - 8 → 3
12 - 9 → 3
14 - 9 → 5
15 - 8 → 7
17 - 8 → 9
16 - 9 → 7

5일차 문장제

이야기를 읽고, 놀이공원에 간 수영이와 친구들은 모두 몇 명인지 구하세요.

수영이와 친구들이 놀이공원에 갔습니다. 수영이가 가장 타고 싶었던 관람차 앞에 친구들과 함께 줄을 서서 기다렸습니다.
"언제 탈 수 있을까?"
한참이 지나도 차례가 오지 않자 수영이와 친구들은 몇 명이 줄을 서서 기다리고 있는지 세어 보았습니다.
"15명이 서 있구나! 그럼, 8명이 탈 때까지만 기다리면 우리 모두 탈 수 있겠다!"
놀이공원에 간 수영이와 친구들은 모두 몇 명일까요?

식 : 15 - 8 = 7   7 명

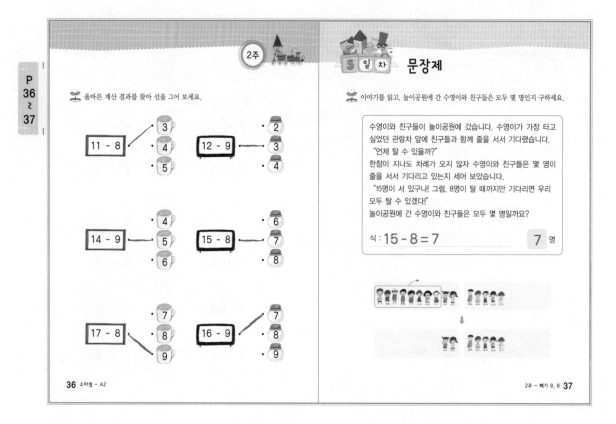

다음을 읽고 알맞은 뺄셈식을 쓰고, 답을 구하세요.

과일 가게에서 어제는 딸기를 17개 팔았고, 오늘은 어제보다 9개 더 적게 팔았습니다. 오늘은 딸기를 몇 개 팔았을까요?

식 : 17 - 9 = 8 　　　8 개

접시에 포도가 14개 있습니다. 그 중 8개를 수진이가 먹었습니다. 남은 포도는 몇 개일까요?

식 : 14 - 8 = 6 　　　6 개

38 소마셈 - A2

다음을 읽고 알맞은 뺄셈식을 쓰고, 답을 구하세요.

버스 안에 14명의 사람이 타고 있습니다. 다음 정류장에서 9명이 내렸습니다. 버스에 타고 있는 사람은 몇 명일까요?

식 : 14 - 9 = 5 　　　5 명

준수는 연필 12자루를 가지고 있습니다. 그 중 8자루를 지연이에게 주었습니다. 준수에게 남은 연필은 몇 자루일까요?

식 : 12 - 8 = 4 　　　4 자루

공원에 노란색 의자와 파란색 의자가 모두 16개 있습니다. 그 중 노란색 의자가 9개입니다. 파란색 의자는 몇 개일까요?

식 : 16 - 9 = 7 　　　7 개

2주 - 빼기 9, 8 39

다음을 읽고 알맞은 뺄셈식을 쓰고, 답을 구하세요.

마당에 나무 13그루를 심었습니다. 감나무를 8그루 심었고, 나머지는 모두 사과나무입니다. 사과나무는 몇 그루를 심었을까요?

식 : 13 - 8 = 5 　　　5 그루

친구들 12명이 피자를 한 조각씩 나눠 먹으려고 합니다. 그런데 피자가 9조각밖에 없습니다. 피자를 먹지 못하는 친구는 몇 명일까요?

식 : 12 - 9 = 3 　　　3 명

선미는 15살입니다. 선미의 동생은 선미보다 9살이 적습니다. 선미의 동생은 몇 살일까요?

식 : 15 - 9 = 6 　　　6 살

40 소마셈 - A2

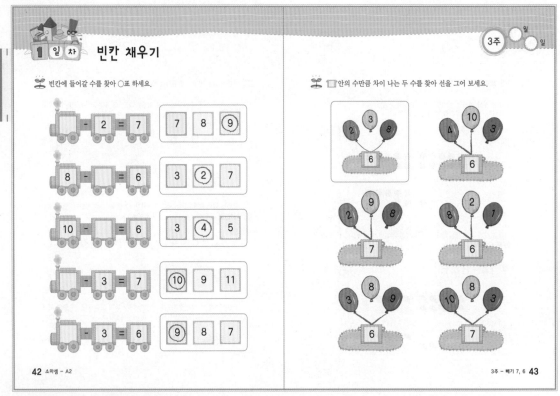

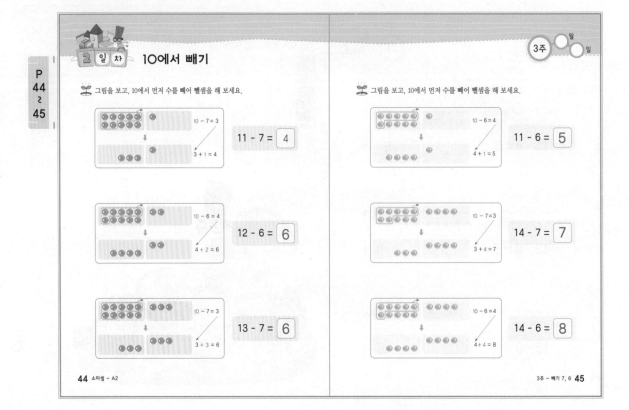

3주

🌱 10에서 먼저 수를 빼어 뺄셈을 해 보세요.

15 - 7 = 8   13 - 6 = 7
5   10

12 - 6 = 6   10 - 6 = 4

11 - 7 = 4   15 - 6 = 9

12 - 7 = 5   13 - 7 = 6

14 - 6 = 8   14 - 7 = 7

46 소마셈 - A2

---

3 일 차   7의 단, 6의 단

🌱 그림을 보고 7의 단 덧셈을 해 보세요.

	8 - 7 = 1
	9 - 7 = 2
	10 - 7 = 3
	11 - 7 = 4
	12 - 7 = 5
	13 - 7 = 6
	14 - 7 = 7
	15 - 7 = 8
	16 - 7 = 9

3주 - 빼기 7, 6 47

🌱 그림을 보고 6의 단 덧셈을 해 보세요.

	7 - 6 = 1
	8 - 6 = 2
	9 - 6 = 3
	10 - 6 = 4
	11 - 6 = 5
	12 - 6 = 6
	13 - 6 = 7
	14 - 6 = 8
	15 - 6 = 9

48 소마셈 - A2

🌱 □ 안에 알맞은 수를 써넣으세요.

13 - 7 = 6   12 - 6 = 6
3   10   2   10

15 - 7 = 8   15 - 6 = 9

10 - 6 = 4   14 - 7 = 7

14 - 6 = 8   12 - 7 = 5

11 - 6 = 5   13 - 6 = 7

10 - 7 = 3   11 - 7 = 4

3주 - 빼기 7, 6 49

정답 **99**

4 일차 뺄셈 퍼즐

P 50 ~ 51

가로와 세로에 쓰여 있는 수의 차를 빈칸에 써넣으세요.

-	8	9	10	11
6	2	3	4 (10-6)	5

-	10	11	12	13
6	4	5	6	7

-	9	10	11	12
7	2	3	4	5

-	10	12	14	16
7	3	5	7	9

-	8	10	12	14
6	2	4	6	8

-	10	13	16
7	3	6	9

-	7	10	13	16
6	1	4	7	10

-	10	14	18
7	3	7	11

50 소마셈 - A2

사다리를 타고 내려와 □ 안에 알맞은 수를 써넣으세요.

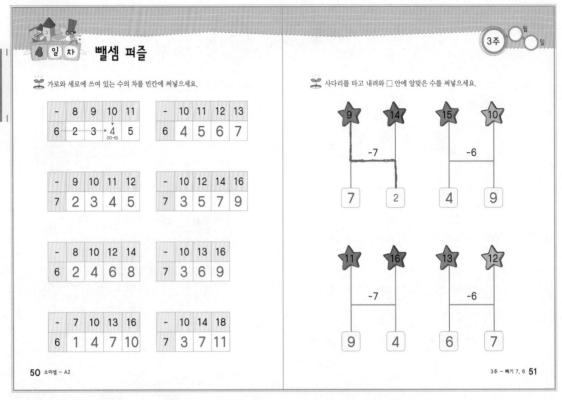

3주 - 빼기 7, 6 **51**

3주

토끼가 당근을 찾을 수 있도록 올바른 계산 결과를 찾아 길을 그려 보세요.

P 52 ~ 53

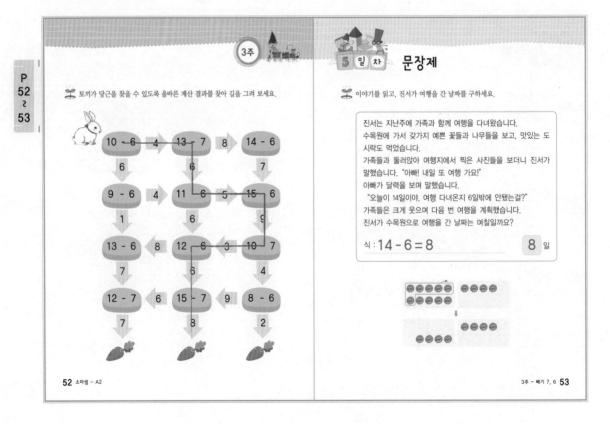

52 소마셈 - A2

5 일차 문장제

이야기를 읽고, 진서가 여행을 간 날짜를 구하세요.

진서는 지난주에 가족과 함께 여행을 다녀왔습니다.
수목원에 가서 갖가지 예쁜 꽃들과 나무들을 보고, 맛있는 도시락도 먹었습니다.
가족들과 둘러앉아 여행지에서 찍은 사진들을 보더니 진서가 말했습니다. "아빠! 내일 또 여행 가요!"
아빠가 달력을 보며 말했습니다.
"오늘이 14일이야. 여행 다녀온지 6일밖에 안됐는걸?"
가족들은 크게 웃으며 다음 번 여행을 계획했습니다.
진서가 수목원으로 여행을 간 날짜는 며칠일까요?

식 : $14 - 6 = 8$ **8** 일

3주 - 빼기 7, 6 **53**

다음을 읽고 알맞은 뺄셈식을 쓰고, 답을 구하세요.

모자가 14개 있습니다. 그 중 7개가 낡아서 버리려고 합니다. 남은 모자는 몇 개일까요?

식 : 14 - 7 = 7   7 개

지민이는 문구점에서 연필 12자루를 샀습니다. 언니에게 6자루를 주었다면 지민이에게 남은 연필은 몇 자루일까요?

식 : 12 - 6 = 6   6 자루

다음을 읽고 알맞은 뺄셈식을 쓰고, 답을 구하세요.

현수는 종이학 11마리를 접었습니다. 진영이는 현수보다 6마리 적게 접었다면 진영이가 접은 종이학은 몇 마리일까요?

식 : 11 - 6 = 5   5 마리

바구니에 빵 10개가 있었는데 6개를 먹었습니다. 남은 빵은 몇 개일까요?

식 : 10 - 6 = 4   4 개

소현이는 토끼 13마리를 키웁니다. 며칠 뒤 친구에게 토끼 5마리를 주었다면, 소현이에게 토끼가 몇 마리 남았을까요?

식 : 13 - 5 = 8   8 마리

다음을 읽고 알맞은 뺄셈식을 쓰고, 답을 구하세요.

흰색 바둑돌과 검은색 바둑돌이 모두 15개 있습니다. 그 중 7개는 흰색이라면 검은색 바둑돌은 몇 개일까요?

식 : 15 - 7 = 8   8 개

냉장고에 딸기 11개가 있었는데 7개를 먹었습니다. 남은 딸기는 몇 개일까요?

식 : 11 - 7 = 4   4 개

운동장에 학생들이 모여 있습니다. 남학생이 15명이고 여학생은 남학생보다 6명 적습니다. 여학생은 몇 명일까요?

식 : 15 - 6 = 9   9 명

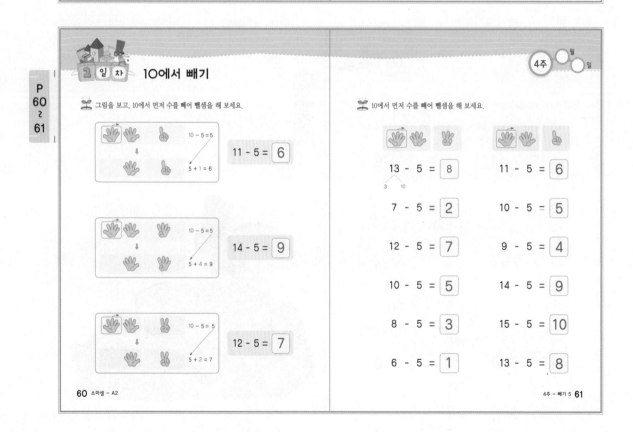

P
58
~
59

1 일 차 빈칸 채우기

🌱 위의 두 수의 차가 바로 아래의 수가 되도록 □ 안에 알맞은 수를 써넣으세요.

6	5	3

6-5=1　**1**　**2**　5-3=2

1　2-1=1

9	5	4

4　**1**

3

7	5	8

2　**3**

1

1	5	6

4　**1**

3

2	5	9

3　**4**

1

3	5	8

2　**3**

1

58 소마셈 - A2

🌱 ○에 들어갈 수를 찾아 색칠해 보세요.

6 7 8

○ - 1 = 5

6 - 1 = 5

7 **9** **8**

○ - 3 = 5

6 **7** 8

○ - 2 = 5

2 **1** 3

6 - ○ = 5

2 **1** 3

8 - ○ = 5

8 **9** 6

○ - 4 = 5

P
60
~
61

2 일 차 10에서 빼기

🌱 그림을 보고, 10에서 먼저 수를 빼어 뺄셈을 해 보세요.

10 - 5 = 5

5 + 1 = 6

11 - 5 = **6**

10 - 5 = 5

5 + 4 = 9

14 - 5 = **9**

10 - 5 = 5

5 + 2 = 7

12 - 5 = **7**

60 소마셈 - A2

🌱 10에서 먼저 수를 빼어 뺄셈을 해 보세요.

13 - 5 = **8**

3　10

7 - 5 = **2**

12 - 5 = **7**

10 - 5 = **5**

8 - 5 = **3**

6 - 5 = **1**

11 - 5 = **6**

10 - 5 = **5**

9 - 5 = **4**

14 - 5 = **9**

15 - 5 = **10**

13 - 5 = **8**

5의 단

🌱 그림을 보고 5의 단 뺄셈을 해 보세요.

✋☝️	6 - 5 = 1
✋✌️	7 - 5 = 2
✋🤟	8 - 5 = 3
✋🖖	9 - 5 = 4
✋🖐️	10 - 5 = 5
✋🖐️ ☝️	11 - 5 = 6
✋🖐️ ✌️	12 - 5 = 7
✋🖐️ 🤟	13 - 5 = 8
✋🖐️ 🖖	14 - 5 = 9

🌱 □ 안에 알맞은 수를 써넣으세요.

12 - 5 = 7
2   10

11 - 5 = 6
1   10

13 - 5 = 8   10 - 5 = 5

9 - 5 = 4   6 - 5 = 1

14 - 5 = 9   8 - 5 = 3

7 - 5 = 2   15 - 5 = 10

12 - 5 = 7   11 - 5 = 6

 빼셈 퍼즐

🌱 가로와 세로에 쓰여 있는 수의 차를 빈칸에 써넣으세요.

-	7	8	9	10
5	2	3	4	5 (10-5)

-	10	11	12	13
5	5	6	7	8

-	10	12	14	16
5	5	7	9	11

-	7	10	13	16
5	2	5	8	11

🌱 □ 안에 알맞은 수를 써넣으세요.

14 - 5 = 9   12 - 5 = 7

```
        5                   5
        =                   =
13                11
-                 -
5                 5
=                 =
8 - 5 = 3         6 - 5 = 1
                          4               2
```

🌱 계산 결과가 같은 것끼리 선으로 이어 보세요.

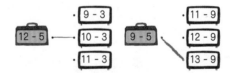

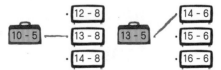

그림을 보고, 두 가지 방법 중 더 쉬운 방법으로 뺄셈을 해 보세요.

더 쉬워요!

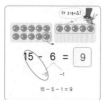

$15 - 6 = 9$

$10 - 6 + 5 = 9$

$15 - 6 = 9$

$15 - 5 - 1 = 9$

$15 - 6 = 9$

$15 - 7 = 8$

$16 - 7 = 9$

$14 - 6 = 8$

$13 - 5 = 8$

$14 - 5 = 9$

TIP
위와 같이 일의 자리 수끼리의 차가 1 또는 2 정도로 적은 경우는 10에서 빼는 방법
(10-6+5)보다 10을 만들어 빼는 방법(15-5-1)으로 계산하는 것이 더 쉽습니다.

66 소마셈 - A2

5일차 문장제

이야기를 읽고, 형진이의 나이를 구하세요.

할머니의 생신날, 형진이의 친척들이 모두 모였습니다. 형진이
는 삼촌, 이모, 사촌 형도 모두 오랜만에 만나 반갑게 인사했
습니다. 이때, 사촌 형 진호가 말했습니다.
"형진아! 그 동안 잘 지냈니?"
"응, 잘 지냈어."
"못 본 사이에 키가 많이 자랐구나! 네가 나보다 5살 적었는데,
나만큼 키가 커졌네! 내가 13살이니까.."
형진이는 몇 살일까요?

식 : $13 - 5 = 8$

8 살

내가 13살이면, 형진이는 몇 살이지?

진호

4주 - 빼기 5 67

신나는 연산!

다음을 읽고 알맞은 뺄셈식을 쓰고, 답을 구하세요.

영미는 사탕을 12개 가지고 있습니다. 진주는 영미보다 사탕을 5개 적게
가지고 있습니다. 진주가 가진 사탕은 몇 개일까요?

식 : $12 - 5 = 7$

7 개

색종이 14장이 있습니다. 그 중 빨간색 색종이가 5장이고, 나머지는 모두
노란색입니다. 노란색 색종이는 몇 장일까요?

식 : $14 - 5 = 9$

9 장

68 소마셈 - A2

4주 월 일

다음을 읽고 알맞은 뺄셈식을 쓰고, 답을 구하세요.

초콜렛 10개가 있는데 수민이가 5개를 먹었습니다. 남은 초콜렛은 몇 개
일까요?

식 : $10 - 5 = 5$

5 개

운동장에 빨간색 풍선과 파란색 풍선이 모두 11개 있습니다. 그 중 파란색
풍선이 5개입니다. 빨간색 풍선은 몇 개일까요?

식 : $11 - 5 = 6$

6 개

지붕 위에 참새 14마리가 앉아있었는데 5마리가 날아갔습니다. 지붕 위에
남아있는 참새는 몇 마리일까요?

식 : $14 - 5 = 9$

9 마리

4주 - 빼기 5 69

P
70

🌱 다음을 읽고 알맞은 뺄셈식을 쓰고, 답을 구하세요.

지훈이는 카드 13장을 가지고 있습니다. 그 중 5장을 잃어버렸다면 남은 카드는 몇 장일까요?

식 : $13 - 5 = 8$　　　　　　 **8** 장

정인이가 송편을 9개 만들었습니다. 동생은 정인이보다 5개 적게 만들었다면 동생이 만든 송편은 몇 개일까요?

식 : $9 - 5 = 4$　　　　　　 **4** 개

색연필 12자루가 있습니다. 그 중 5자루를 친구에게 빌려주었다면 남은 색연필은 몇 자루일까요?

식 : $12 - 5 = 7$　　　　　　 **7** 자루

70 소마셈 – A2

1주차 (drill)　　　빼기 2, 3, 4

P
72
~
73

□ 안에 알맞은 수를 써넣으세요.

$9 - 3 = \boxed{6}$　　$10 - 4 = \boxed{6}$

$11 - 3 = \boxed{8}$　　$11 - 2 = \boxed{9}$

$7 - 4 = \boxed{3}$　　$8 - 2 = \boxed{6}$

$10 - 3 = \boxed{7}$　　$10 - 2 = \boxed{8}$

$12 - 4 = \boxed{8}$　　$12 - 3 = \boxed{9}$

$13 - 4 = \boxed{9}$　　$11 - 4 = \boxed{7}$

$11 - 2 = \boxed{9}$　　$7 - 3 = \boxed{4}$

□ 안에 알맞은 수를 써넣으세요.

$7 - 2 = \boxed{5}$　　$12 - 4 = \boxed{8}$

$10 - 3 = \boxed{7}$　　$9 - 2 = \boxed{7}$

$12 - 3 = \boxed{9}$　　$11 - 3 = \boxed{8}$

$7 - 3 = \boxed{4}$　　$10 - 4 = \boxed{6}$

$13 - 4 = \boxed{9}$　　$11 - 2 = \boxed{9}$

$8 - 3 = \boxed{5}$　　$9 - 4 = \boxed{5}$

$11 - 4 = \boxed{7}$　　$9 - 3 = \boxed{6}$

72 소마셈–A2　　　　　　　　　　　　　　　　　　Drill – 보충학습 73

P 74 ~ 75

1주차

□ 안에 알맞은 수를 써넣으세요.

4 - 2 = 2   9 - 4 = 5
8 - 3 = 5   10 - 3 = 7
9 - 2 = 7   11 - 3 = 8
11 - 3 = 8   8 - 2 = 6
7 - 3 = 4   9 - 3 = 6
8 - 4 = 4   12 - 4 = 8
11 - 4 = 7   13 - 4 = 9

□ 안에 알맞은 수를 써넣으세요.

9 - 2 = 7   8 - 4 = 4
7 - 3 = 4   9 - 3 = 6
10 - 2 = 8   11 - 4 = 7
12 - 4 = 8   7 - 4 = 3
10 - 3 = 7   9 - 4 = 5
10 - 4 = 6   13 - 4 = 9
11 - 3 = 8   12 - 3 = 9

74 소마셈 - A2

Drill - 보충학습 **75**

P 76 ~ 77

2주차   빼기 9, 8

□ 안에 알맞은 수를 써넣으세요.

10 - 8 = 2   12 - 9 = 3
11 - 8 = 3   12 - 8 = 4
9 - 8 = 1   10 - 9 = 1
11 - 9 = 2   14 - 9 = 5
13 - 9 = 4   14 - 8 = 6
13 - 8 = 5   16 - 8 = 8
16 - 9 = 7   15 - 8 = 7

□ 안에 알맞은 수를 써넣으세요.

15 - 9 = 6   14 - 8 = 6
11 - 8 = 3   13 - 8 = 5
12 - 9 = 3   10 - 8 = 2
12 - 8 = 4   17 - 9 = 8
15 - 8 = 7   9 - 8 = 1
17 - 8 = 9   18 - 9 = 9
11 - 9 = 2   14 - 9 = 5

76 소마셈 - A2

Drill - 보충학습 **77**

2주차

P 78 ~ 79

□ 안에 알맞은 수를 써넣으세요.

9 - 8 = 1   12 - 8 = 4
11 - 8 = 3   10 - 9 = 1
14 - 8 = 6   12 - 8 = 4
12 - 9 = 3   14 - 9 = 5
15 - 9 = 6   13 - 8 = 5
15 - 8 = 7   17 - 8 = 9
17 - 9 = 8   16 - 8 = 8

□ 안에 알맞은 수를 써넣으세요.

12 - 9 = 3   11 - 8 = 3
11 - 9 = 2   14 - 8 = 6
12 - 8 = 4   13 - 8 = 5
10 - 8 = 2   17 - 8 = 9
9 - 8 = 1   18 - 9 = 9
15 - 8 = 7   16 - 8 = 8
13 - 9 = 4   16 - 9 = 7

78 소마셈 - A2   Drill - 보충학습 79

3주차   빼기 7, 6

P 80 ~ 81

□ 안에 알맞은 수를 써넣으세요.

10 - 6 = 4   12 - 6 = 6
12 - 7 = 5   8 - 6 = 2
13 - 6 = 7   10 - 7 = 3
11 - 7 = 4   11 - 6 = 5
15 - 6 = 9   9 - 6 = 3
13 - 7 = 6   14 - 6 = 8
7 - 6 = 1   15 - 7 = 8

□ 안에 알맞은 수를 써넣으세요.

12 - 6 = 6   14 - 7 = 7
12 - 7 = 5   8 - 6 = 2
11 - 6 = 5   14 - 6 = 8
10 - 6 = 4   13 - 6 = 7
9 - 7 = 2   7 - 6 = 1
15 - 7 = 8   15 - 6 = 9
13 - 7 = 6   16 - 7 = 9

80 소마셈 - A2   Drill - 보충학습 81

3주차

P
82
~
83

□ 안에 알맞은 수를 써넣으세요.

9 - 7 = 2

12 - 6 = 6

13 - 7 = 6

10 - 6 = 4

11 - 6 = 5

15 - 7 = 8

14 - 6 = 8

7 - 6 = 1

10 - 7 = 3

11 - 7 = 4

13 - 6 = 7

12 - 7 = 5

14 - 7 = 7

16 - 7 = 9

□ 안에 알맞은 수를 써넣으세요.

15 - 6 = 9

10 - 7 = 3

11 - 7 = 4

14 - 6 = 8

9 - 6 = 3

14 - 7 = 7

15 - 7 = 8

12 - 7 = 5

15 - 6 = 9

13 - 6 = 7

9 - 7 = 2

8 - 6 = 2

10 - 6 = 4

13 - 7 = 6

4주차　　빼기 5

P
84
~
85

□ 안에 알맞은 수를 써넣으세요.

10 - 5 = 5

6 - 5 = 1

9 - 5 = 4

14 - 5 = 9

7 - 5 = 2

12 - 5 = 7

11 - 5 = 6

12 - 5 = 7

13 - 5 = 8

11 - 5 = 6

8 - 5 = 3

15 - 5 = 10

14 - 5 = 9

9 - 5 = 4

□ 안에 알맞은 수를 써넣으세요.

9 - 5 = 4

14 - 5 = 9

7 - 5 = 2

12 - 5 = 7

8 - 5 = 3

15 - 5 = 10

14 - 5 = 9

13 - 5 = 8

11 - 5 = 6

10 - 5 = 5

6 - 5 = 1

12 - 5 = 7

13 - 5 = 8

11 - 5 = 6

4주차 drill

P 86 ~ 87

□ 안에 알맞은 수를 써넣으세요.

11 - 5 = 6	9 - 5 = 4
8 - 5 = 3	13 - 5 = 8
15 - 5 = 10	14 - 5 = 9
10 - 5 = 5	7 - 5 = 2
6 - 5 = 1	12 - 5 = 7
12 - 5 = 7	14 - 5 = 9
9 - 5 = 4	11 - 5 = 6

□ 안에 알맞은 수를 써넣으세요.

6 - 5 = 1	10 - 5 = 5
12 - 5 = 7	12 - 5 = 7
13 - 5 = 8	14 - 5 = 9
9 - 5 = 4	15 - 5 = 10
8 - 5 = 3	11 - 5 = 6
13 - 5 = 8	14 - 5 = 9
11 - 5 = 6	7 - 5 = 2

Note